SHODENSHA SHINSHO

現代アートをたのしむ

――人生を豊かに変える5つの扉（ドア）

原田マハ
高橋瑞木

祥伝社新書

ドアを開くために——まえがきに代えて

原田マハ

本書を手にして、まず初めにこのページを開いたあなた。

あなたはどうして、本書を読もうと思ったのですか?

おおいに、あるいは多少アートに興味がある。あるいは、アートに興味があるものの、どうやってその世界に入っていったらいいかわからない。もしくは、ぜんぜん興味はないけれど、ひょっとしたら興味をもてるかもしれない——などなど、度合いは違えども、「アート」というキーワードに惹(ひ)かれて、本書を開いたことだろう。

レベルの差はあるにせよ、あなたは、とにかく「アート」に関心をもっている。まず、そのこと自体がすばらしい。「なんだか難しそう」「よくわからない」といわれがちな現代アートについても、あなたがほんの一ミリでも関心をもっているのだとすれば(たとえそれが「とっつきにくそう」というようなネガティブな関心だったとしても）、あなたとアートは、ぐっと距離を縮め（ちぢ）められる。

「アートとの距離を縮めてどうなるの？」といわれてしまうかもしれないが、それに対する答えは本書の中にある。

が、ひと言だけ、本書における私たちの結論を、さきに明らかにしてしまおう。

アートとの接近は、あなたの人生を豊かにする。

そうかなあ、と首をかしげたあなた。あなたが疑問を感じてしまうとしても、それは別段、間違いではない。

そもそも、アートなんて、生きていくうえで必須のものではない。それは、たとえば、小説や映画やコミックやファッションがそうであるのと同じだ。

呼吸をするのにも食べるのにも歩くのにも寝るのにも、アートはぜんぜん関係ない。アートに関心を払わなくたって、私たちは立派に生きていくことができる。

いってしまえば、アートは、人生における「無駄なもの」なのかもしれない。

それでも、アートがある人生、あるいは関心をもつことができる人生は、アートがない人生を送るよりも豊かである、と断言したい。

こんなことを書くと、「何をおおげさな……」といわれてしまうかもしれない。が、歴史を俯瞰（ふかん）してみると、私たち人類は、有史以来、ただの一度たりともアートを忘れたことがなかった。

私は、アートのあれこれをつらつらと考えるとき、この一点の事実に、いつも救われる心地がする。

二十世紀末になって、世界最古の絵画が発見された。フランス南部、ヴァロン＝ポン＝ダルクにあるショーヴェ洞窟（どうくつ）の壁画。異説もあるらしいが、三万二千年まえのものとの説が有力だ。かの有名なラスコーの石窟（せっくつ）画が一万五千年まえ、アルタミラのそれは一万八千年まえといわれているから、「絵画の歴史」が一気に一万五千年ほども遡（さかのぼ）ったことになる。ショーヴェ洞窟の壁画には、馬、ライオン、ハイエナ、フクロウなどが、ロートレックかと見まごう「モダン」なタッチで、生き生きと描かれている。広々とした石の壁に向かい合った私たちの祖先は、何か描いてみたい、という衝動に駆（か）られたのだろう。もちろん、それがアートである、という意識があったはずもない。それでもなんでも、彼らは描いた。それが、何もないただの壁であっても生きていくうえでなんら支障はなかったはずなのに。

私は、私たちが生きる現在、呼吸し、活動するいま、この時間、この時代を共有している最先端のアートを思うとき、それがいつもショーヴェの壁画の延長線上にあるのだ、と考え、深い感慨を覚える。

ショーヴェと、たとえば村上隆（むらかみたかし）のあいだには、おそろしいくらいの長い長い時間が横たわっている。けれどその気が遠くなるほどの時の流れ、大河のごとき歴史を、一瞬にして飛び越えられる魔法のキーワードがある。それこそが「アート」なのだ。

ショーヴェの壁画と、《モナ・リザ》と、《ひまわり》と、《ゲルニカ》と、「水玉模様の黄色いカボチャ」、それぞれ、異なる時代、異なる地域で、異なる状況で生まれたものだ。ただしこれらには共通項がある。人間の手による表現である——つまり「アート」である、ということだ。

それぞれの作品（この際、ショーヴェの壁画もあえて「作品」といってしまおう）には、それが制作された時代の背景や技術や表現手法が反映されており、アーティストのメッセージが込められている（そう、ショーヴェの壁画にも古代人なりのメッセージが秘められているはずだ）。アートは、その時代の空気やアーティストの感情を封じ込めたタイムカプセルであり、ギフトボックスのようなものだ。はるかな時代を超えて、私たちはそれをいま、受け取ることができる。

同様に、いま、アーティストたちが創り出す作品は、はるかな未来、私たちの子孫によって受け取られることだろう。

だから、「現代アートがよくわからない」からといって、何も心配することはない。なぜなら、きっとあなたは《モナ・リザ》の良さならば理解できる、というだろう。それはつまり、現代アートを受容できる素地(そじ)がある、ということにほかならない。

レオナルド・ダ・ヴィンチは、五百年まえの現代アーティストだった。ゴッホは百年まえの。彼らは突出した才能の持ち主だった。ゆえに、彼らの作品は、時を超えて伝えられた。村上隆が、草間彌生(くさまやよい)が創り出すものは、ショーヴェの、レオナルドの、ゴッホの延長線上にある。そう考えれば、あなたの好奇心のアンテナが、かすかに動きはしないだろうか。

本書は、私の旧知の友人で、現在最も注目されているキュレーター、高橋瑞木(たかはしみずき)さんとの共著である。

高橋さんと私には共通点がある。アートをこよなく愛する、というのはもちろんのこと、私たちは、すべての時代のアートとアーティストに対して、深いリスペクトを抱いている。高橋さんは、展覧会を企画するとき、他者と交渉をするとき、プロジェクトをまっとうするとき、どんな場合においても、アーティスト優先(ファースト)を貫(つらぬ)いている。どんなことより、アーティストを大切にしている。そのポリシーを口に出すことはないが、見ていればわかる。そして彼女の手掛けた企画展を見れば、どれほどアートに寄り添い、アーティストのメッセージを最大限に伝えようと尽力しているか、よくわかる。彼女がすぐれたキュレーターたるゆえんは、そこにこそある。

また、本書の企画は、祥伝社の担当編集者とともに出かけたニューヨークでの体験から始まった。

二〇一二年のこと、担当編集者と私は、とある特集記事の取材でニューヨークを訪問した。一緒に行った美術館の現代美術ギャラリーで、ニューヨークはこれが二度目という編集者は、いったいどんなふうに作品を見たらいいのか、おもしろいのかおもしろくないのか、さっぱり見当がつかない、と嘆いていた。

私は、誰かと一緒に美術館に行く場合、あえて解説はしないようにしている。解説があれば理解が深まるかもしれないが、他者の観点から作品を見ることになってしまう気がして、鑑賞の邪魔になるのがいやなのだ。だから、そのときも、編集者になんら解説をしなかった。しかしながら、あとになって、ずいぶん意地悪なことをしてしまったと反省した。せっかく（ニューヨークの美術館に勤務経験のある）私と一緒に美術館に行ったのだから、何かひと言いってほしかったに違いない。そしてひょっとすると、そのひと言によって、編集者のアートへの興味のドアがほんの少しでも開いたかもしれないのに。

そこで私は、日本に帰ってきてから提案した。

——現代アートがわからない、という人でも、アートに興味がもてる本を作ろうよ。たとえば、あなたが、この美術館へ行ってみたい！　このアートを実際に見てみたい！　と思えるような。

そんなわけで、本書がまとまった。もう二十年以上、現代アートとそれが置かれた状況をともに見つめ続けてきた高橋瑞木さんとの共著が叶(かな)ったのは、何よりうれしい。そして、私たちが本書のために特別に交わした対話や、美術館／展覧会訪問記を通して、読者の方々が実際に美術館やアートスポットに足を運んでくれることになれば、本書の目的は果たされたことになる。

さて、本書をひもとこうとしているあなた。

あなたの好奇心のドアが開く音が、かすかに聞こえてきませんでしたか？

『現代アートをたのしむ』目次

第2のドア 現代アートの楽しみ方 原田マハ×高橋瑞木

第3のドア ふたりが選ぶ、いま知っておきたいアーティスト 原田マハ×高橋瑞木

第4のドア　美術館に行こう

255 第5のドア　アートの旅は続くよ、どこまでも

「何を表現しているかわからない」

「難解だ」といわれがちな現代アート。

しかしそもそも「現代アート」とはどんなものなのか？

第1のドア

現代アートって何？

現代アートの定義とは?

キーワードは同時代性と「現代」をいつだとみなすか

原田マハ(以下、原田) 現代アートは、どうしてわかりにくいと思われるんだろう? 『楽園のカンヴァス』(新潮文庫)という小説を書いたときに、アンリ・ルソー[注1]を知らなかった読者が興味をもって、MoMA(モマ)(ニューヨーク近代美術館)に実際に見に行きたくなったという感想もいただいていているから、ここで私たちが現代アートへの入り口をつくれればいいなと思っています。

高橋瑞木(以下、高橋) アートが複雑化しているのはたしかですよね。さまざまなテクノロジーの発達によって、人や物の移動や情報の伝達が可能になったことで、それまで西洋主流だった美術が中東、アジアについても語られるようになったし、メディウム[注2]や表現手段に関しても、これまであった絵画や彫刻に加えて、インスタレーション[注3]、ビデオ・アート、パフォーマンスなどが出てきて多様化しています。

原田 メディウムにインスタレーション！　いきなり難しい言葉がきましたね。メディウムは素材、インスタレーションは空間芸術などと訳されます。たしかに、「第3のドア」で紹介するエルネスト・ネト[注4]のソフト・スカルプチャー[注5]やビル・ヴィオラ[注6]のビデオ・インスタレーションなどは、新しい表現といえるかもしれない。

その前に、そもそも現代アートとはどんなものを指すのか。まず、そのことから話しますか。

高橋 一般的によくいわれる定義には二通りあります。まず、「現代アート」というのは、英語の「コンテンポラリー・アート」を訳しているんですが……。

原田 「コンテンポラリー」とは「同時代の」という意味。つまり、私たちなら、いま生きているこの時代、印象派[注7]なら印象派の時代、ピカソ[注8]ならピカソの時代、そのとき生きていた人にとって同じ時代ということですね。

高橋 もうひとつは「近代」に対する「現代」ということでしょうね。よくいわれるのは、

「第二次世界大戦後からの美術である」という説や「デュシャンが既製品の男性用便器に《泉》とタイトルをつけて展覧会に出した、一九一七年以降を指す」[注9]という説です。

原田　デュシャン以降とする考え方は、つまり、目に見えるものだけが作品じゃなくて、作者の頭の中にある論理も作品だとする「コンセプチュアル（概念的）」なアートが出現してからということですね。もっと遡るとしたら、現代アートの萌芽（ほうが）として、印象派を挙げる人もいます。ピカソの登場も大きかった。

高橋　私がもし、アートの概説書を書くならば、近代の産業革命が広がり、アインシュタインの特殊相対性理論が登場した一九〇五年以降とするかな。

原田　相対性理論は、アートに何をもたらしたの？

高橋　時間の見方ですね。時間は不変じゃなくて、その人のいる場所によって変わるということがわかった。それがアートに、ものの見方は絶対不変じゃないという気付きを与えた。一枚の平面作品に複数の視点を持ち込んだ、ピカソに代表されるキュビスム[注10]が最もわかりやすいと思いますが、複数の視点と時間性を意識的に二次元で表すという考え方の素地ができたんですね。

現代アートとは何か、は難しい問題

高橋　でも、「現代アートとは何か」、という一見素朴（そぼく）な疑問は、じつは専門家でも答えにくいところにきているんですよ。

原田　というと？

高橋　第二次世界大戦後といったところで、もう七十年経ってますよね？

原田　「現代」も終わったかもしれない。

高橋　現在、コンテンポラリー・アートと呼ばれているものの呼び名が変わるかもしれないですね。コンテンポラリーは同時代という意味だから、いつでも「そのとき」を指します。だから、モダン（近代）のあとにポスト・モダン（近代の次）という時代があり、そのあとの時代に新しい呼び名ができるのかもしれない。

原田　すでに、クラシック・コンテンポラリーという呼び方もありますよね？

高橋　古典なの？　新しいの？　どっちなの？　という言葉ですね。

　時代の区切りもそうですけど、そもそも美術史というもの自体が、西洋主体に考えられているという問題があります。ギリシア、ローマがあって、中世美術からルネサンスへ、というふうに。でも、世界が西洋の文化だけでできているわけじゃないのは、自明のことですから。

原田　アフリカにも、アジアにも歴史はあるし、アジアの中でも東南アジアと東アジア、中央アジアはぜんぜん違う歴史を辿（たど）っていますからね。歴史をひとつの線で描けた時代は、もう終わった。

高橋　だから当然、美術史や美術の概念自体も見直さないといけない時期なんです。世界の歴史の流れを描くには、それこそアジアや中東、アフリカ、いろんな地域の、さまざまな歴史を同時に見なければいけない。それは、複雑さが増すということを意味しますよね。

原田　そのことが、現代アートの定義づけを難しくさせている。

高橋　現代アートとは、いまの時代にさまざまな場所でつくられたありとあらゆるアートなのではないか、という考え方もあれば、そうではなくて、西洋で連綿と綴（つづ）られてきた美術史の土台があり、その前提を踏まえた作品を現代アートと認める、という人もいます。

原田　なるほど。時代の区分のほかに、どういう素材、どういう方向性の作品が多いのか、という観点もありますね。次々と新しい表現が生まれているのは、たしかです。とくに、この二、三十年の流れを見ると、ＩＴ革命に匹敵するぐらい展開が速い。ある主義だったり、ある表現方法だったりを、評論家や美術史家がカテゴライズする前に変わってしまうようなことが続いているから、現代アートの定義も間に合わない。「絵画や彫刻はまだわかるけど、いまはこういうのもアートと呼ぶんだね」と思っている人も多いと思う。

高橋　たとえば印象派の時代は、もう百年以上も昔ですから、俯瞰して見られるようになっています。でも、当時は当時で混沌（こんとん）としていたんだと思いますよ。その後のアートの変遷（へんせん）もそうです。それが歴史、時間の波に揉（も）まれて、淘汰（とうた）されていった。

原田　いまの時代は、俯瞰するにはまだ近すぎて、整理できないということね。

高橋　インターネットや、ヴァーチャル空間の出現は、人間の情報技術にとって、ものすごく大きいことですよね。でも、私たちは、それが何をもたらしたかということを、まだ結論づけることはできないと思うんです。だけど、何十年か経てば、世の中の何を変えたかがわかってくるでしょう。

原田　ＩＴ革命は、産業革命以来の大技術革命ですからね。インターネットを開くと、動画サイトでは、地球の裏側で昨日起こったことが見られたりする。莫大（ばくだい）な量の情報が手に入り、簡単に発信もできることが、どういうふうに人の考え方やものの見方に影響を与え、どういうふうにアーティストが作品に昇華（しょうか）したかが、わかる日がくるんでしょうね。

高橋　いまのところは同時代だから、いっしょに走っている感じです。

原田　このあとどうなるかはお楽しみ、ということですね。

注1　アンリ・ルソー（一八四四〜一九一〇年）は、素朴派（ナイーヴ・アート）を代表するフランスの画家。幻想的な画風と独特の構図は、税関職員をしながら、独学によって得られたもの。《眠るジプシー女》（一八九七年）など。

注2　アートにおいてのメディウムは、狭義には絵具などを溶かす媒剤を指すが、作品に使われた素材を意味する言葉として広く使われている。メディウムの複数形であるメディアも同様。マテリアルという場合もある。素材の多様化は現代アートの特徴のひとつで、さまざまな素材で制作する技法をミクストメディア（mixed media）と表現することもある。

注3　インスタレーションはもともと「設置」を意味し、物体そのものではなく、空間や環境を作品とすること。たとえば、展示室に入った鑑賞者に、その空間で非日常的な体験をさせることを目的とする。

注4　エルネスト・ネト　93頁参照

注5　ソフト・スカルプチャーは、硬い素材で制作されることが当然だった彫刻作品に対し、ゴムや布、ビニールなどの柔らかい素材でつくられた立体作品のこと。一九六〇年代、クレス・オルデンバーグ（93頁参照）が始めた。

注6　ビル・ヴィオラ　163頁参照

注7　印象派は、クロード・モネ（77頁参照）の《印象・日の出》（一八七二年）を発端に、十九世紀後半のパリを中心に広がった新しい絵画表現。日常的なモチーフで、主に光や時間の移ろいを表現することを目指し、ほかにピエール＝オーギュスト・ルノワール、カミーユ・ピサロをはじめ、現在では著名な画家が数多関わった。

注8　パブロ・ピカソ（一八八一〜一九七三年）は、スペイン生まれ、フランスで活動した画家、彫刻家。青の時代、キュビスム、新古典主義など、作風を変えながら生涯を通じて美術界に君臨し、二十世紀を代表する、美術史上で最も愛された芸術家。《ゲルニカ》（一九三七年）など。

注9　マルセル・デュシャン（一八八七〜一九六八年）は、フランス生まれのアーティスト。さまざまな形式の作品を手掛け、美術の表現、概念を大きく広げることで、二十世紀以降のアートに最も大きな影響を残した。

注10　キュビスムは、二十世紀初めにジョルジュ・ブラックやパブロ・ピカソによって始められた美術表現。複数の視点から対象を分析、分解して、絵画やコラージュなどの平面上に再構成する。

印象派、ピカソ、デュシャンがすごい理由（ワケ）

現代アートが生まれる直接のきっかけは？

原田　「現代アートとは何か」がいかに難問であったとしても、この本ではどのあたりから語るのか、ある程度は決めておかないとね。

高橋　ここでは第二次世界大戦後を「コンテンポラリー・アート」の起点と考えましょうか。戦争が終わって、誰もがそれまでの考え方を変えざるを得なかった時代ですから。

原田　私も、いまのアートを遡ってみたとき、戦前の美術からつながっているものと、戦後の世界の変容が関係しているものとがあると思います。もちろん、現代アートの多くは、両方備（そな）わっているわけだけれども、ひとつの分岐点として、第二次世界大戦後のアートという考え方には賛成です。

高橋　とはいえ、やっぱり、印象派やピカソ、デュシャンの功績については語っておきたいですね。

原田　ピカソは偉大ですよ。一九〇七年の《アヴィニョンの娘たち》の衝撃は、かなり大きかったはず。キュビスムの始まりですね。

高橋　キュビスムとは、いろんな視点からひとつのものを見ていき、それを二次元の平面にどう統合させるかという手法。そして、アフリカの仮面という非西洋的なモチーフを取り入れたのも、当時としては画期的でした。

原田　当時のアフリカは植民地だったわけで、芸術的な観点から価値を見出そうとした人なんていなかった。ピカソはそこから美を見出して、《アヴィニョンの娘たち》の中で表現した。新しい美の感覚というものを、あの作品によってピカソが大々的に発表したというのは、誰にもできなかったことです。

『楽園のカンヴァス』でもそのことについて書いたけれども、アートというものは美しくあって当然という時代が、長い間続いていたんですね。だけどピカソは、二十世紀的な美というか、「個」にとっての美、「わたくし」にとっての美を提示したんですよ。《アヴィニョンの娘たち》で描かれている女性たちは、きれいとはいいにくいですよね。女性の顔が破壊されているようにも見えるし、仮面のようにも、宇宙人のようにも見える。いまでも、あの女性像を美しいという人はそんなにいないと思うんです。だけど、その一般的な美の概念を壊してしまった。女の人を必ずしも美しく描くことがアートの条件ではないと、印象づけたわけです。それが、その後の現代アートの在り方につながっていったと思う。

高橋　もうちょっと遡ると、十九世紀半ばに写真という技術が現れたとき、「絵とは何か」という、絵画に対する自問自答が始まったと思うんですよね。目の前のあるがままをそっくり再現する写真があるのに、なぜ絵を描かなければいけないのかという必然性の問題です。

原田　絵を描く意義への問いが、印象派の画家にとっては最重要な問題でしたからね。だから、写真という機械のレンズではない、人間の目が見ているものを描こうとした。

高橋　そのころから、自分の制作に対する問いかけに自ら答えていく、というサイクルもできてきたんじゃないでしょうか。つまり、アーティストが、自分自身に対して批評性をもつということの始まりです。

原田　印象派は十九世紀の後半からですけど、その時代にはまだ、見る側も新しい表現に対して、どう受け止めていいのかわからなかったと思う。だけど、批評性が生まれたり、視点が変

パブロ・ピカソ《アヴィニョンの娘たち》(1907年)
© 2020 - Succession Pablo Picasso - BCF (JAPAN)
写真提供:ユニフォトプレス

わったりするなかで、価値観の多様性、それから自問自答が始まった。それらすべてが合わさって、ピカソという巨人を生んだのかもしれない。

高橋 現代アートの歴史は、つねに確立された前例や既存の価値を乗り越える、壊すという繰り返しですから、まさしくそういうことです。

展覧会に便器を出品した衝撃

原田 となると、やっぱりもうひとつの転機はデュシャン。一九一七年に、便器を作品として展覧会に出したというのは、かなり衝撃的だったんじゃない? 私は、コンセプチュアル・アート[注1]の原点はこれだと思っているんですよ。

高橋 《泉》というタイトルですね。原題は《Fountain(ファウンテン)》なので、和訳は《噴水》ではないかという説もありますが。

原田 このころはちょうどモンドリアン[注2]が幾何学(きかがく)的抽象を始めたころで、アートの戦国時代に入っていたといっていいかもしれない。便器はある種、飛び道具ですよ。

高橋　当時の人々は困惑したでしょうね。レディメイド[注3]（既製品）ですから、まず、デュシャンが自分で制作していない。ただ、サインをしただけです。

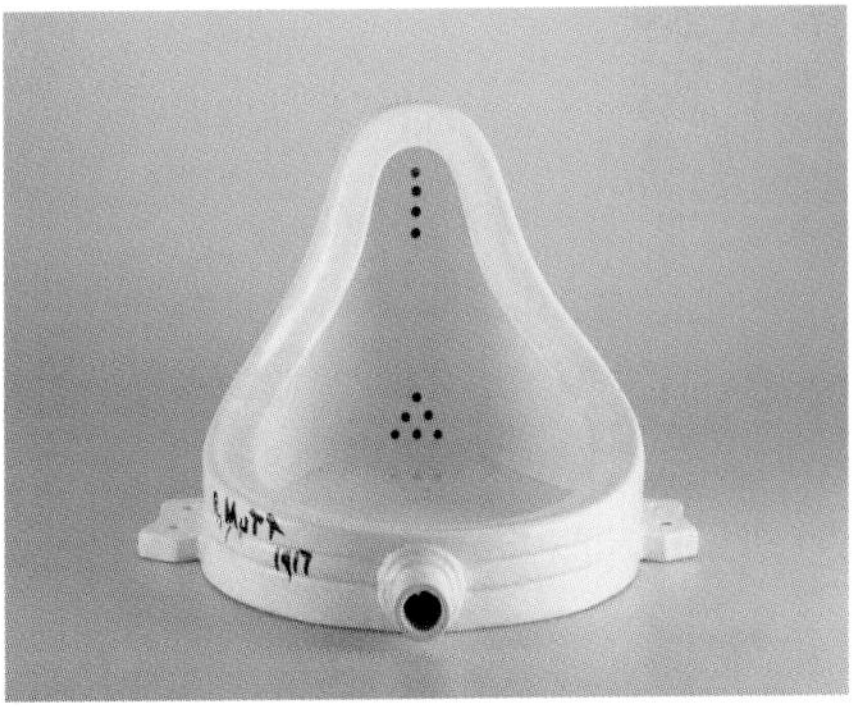

マルセル・デュシャン《泉》（1917/1964年）
© Association Marcel Duchamp / ADAGP, Paris & JASPAR, Tokyo, 2020　C3196
写真提供：ユニフォトプレス

原田　しかも、「R. Mutt」という別人の名前を書いて、作者がデュシャンだとわからないようにして出品した。その結果、自分も展示委員をしていたのに、ほかの委員が全員反対して展示されなかった。その経緯も含めて、コンセプチュアル・アートの原点ですね。

デュシャンは、それが既製品であっても、「アーティストがサインをすれば、それはアート作品だ」と認めさせようとした。あとになれば、誰よりも先に誰も思いつかないようなことをやったということがおもしろいと思えるけれども、それが彼なりの戦い方だったんでしょう。

高橋　ある何かが、何をもってアート作品になるのかという、アートの価値判断の仕組みを暴(あば)きたかったんでしょうね。要するに、手間暇をかけて、丁寧(ていねい)につくった作品ならば、それがアートなのかということを。

　たとえば、何十年もかけてつくった彫刻があったとして、それが自分のアトリエにあったままで誰も見なかったら、自分ではアート作品って思っているかもしれないけれども、一般的にアート作品とは認知されない。だから、美術品というラベルを貼られるような場所、たとえば美術館やギャラリーに置かれて、しかるべき人が語ったり、あるいはキャプション、タイトルがつけられたりするような、アートというものを成り立たせる仕組みがあって、初めてアートになるというネタばらしをしてしまったというのが衝撃的だった。

原田　コンセプチュアルといってもその後の多様な展開があるから、簡単にはいえないけど、目の前にある作品そのものの裏側というか、背景までを集約させているというのが醍醐(だいご)味ですね。

高橋　それこそ教会に描かれた宗教画のように、そこに込められた物語や意味もわかりやすいという作品でないことはたしかですね。でも、それについて知ることで、おもしろくなってくる。

私たち日本人にとって、普通は「コンセプチュアル」という言葉も耳なじみがないし、日本語で「概念」といわれてもわかりにくい。それもあってコンセプチュアル・アートはハードルが高いのかもしれませんが、乱暴にいってしまうと、とんちに近いところもあると思います。美術館に便器があって、「これ、な〜んだ?」って。

原田　「便器です」というのは、見たままの答え。でも、それが答えではない。いや、答えのひとつではあるけれども、その当時の時代背景や、ほかのアートとの関係を考えていけば、作者が真に伝えたいメッセージを読み解ける場合がある。それは、作者の行為と捉えれば、一種のパフォーマンスでもあるよね。そして、どういう空間に置くかという意味では、それこそインスタレーションともいえる。のちに現代アートとして発展するたくさんの要素が、ひとつの便器に含まれていたというのはいいすぎかな。

高橋　そういわれたら、デュシャンはほくそ笑むんじゃないですか?

原田　「ほら、僕の思惑どおりだ」って?(笑)

注1　コンセプチュアル・アートは、一九六〇年代以降、世界的に広まった美術表現。アイデアやコンセプト（概念）が作品の中心であり、具体的な見た目よりも、制作意図や意味、行為などを重視する。

注2　ピエト・モンドリアン（一八七二～一九四四年）は、抽象絵画を始めたことで知られるオランダ生まれの画家。《ブロードウェイ・ブギウギ》（一九四二～一九四三年）など。

注3　アートにおいてレディメイドは既製品のことで、アーティストが制作した、いわゆる作品ではないという意味。デュシャンによる命名。主に大量生産品、一般に売られている商品を指すが、現在、レディメイドの概念はますます広がっている。

「私」は世界がこう見える

画一的な価値観のなかから生まれた「わたくし」

原田　先ほど《アヴィニョンの娘たち》の話で、ピカソは「わたくし」にとっての美を見出し、またそれを周囲が受け止める素地ができつつあったといいましたけど、そもそも印象派より前は「個」がないというのが普通でした。

高橋　そうですね。たとえば絵画について話すと、長い間、神話の一場面や歴史上の出来事を描くのが芸術の役割でした。しかも、筆あとを残さず、写実的に描くことがいい絵だと思われていた。でも、十九世紀前半にドラクロワ[注1]という画家が、わざと筆あとを残して、画家自身、筆さばきの痕跡(こんせき)を示すということをしましたね。そうして、その絵はほかの誰でもない、「わたくし」が描いたのだという個性を出したわけです。
また、一八六〇年代に入って、マネが[注2]《草上の昼食》という作品を発表します。屋外にスーツ姿の男性と裸の女性がいっしょにいて、当時の人から見たら女性は明らかに娼婦(しょうふ)だとわかる。それまでは、女性のヌードを描くとしたら、神話の女神か、あるいは浴室のように裸が自然な状況に限られていたんです。実際には日常的に娼婦はいっぱいいたわけですけど、その現実を描いたことはタブー破りだったといえます。
原田 もっと遡っていいなら、十八世紀末から十九世紀初めのゴヤ[注3]も、筆あとを残していますから、その元祖かもしれませんね。
それに、宮廷画家であったにもかかわらず、自分の表現、あるいは自分の訴えたいことがあって、ナポレオンのスペイン侵攻を描いた絵画に反戦のメッセージを込めたり、幻想絵画みたいなものも描いたりしていた。クライアントの注文どおりの作品を描かなかったのは、やはり「個」の表出だったんだと思います。
高橋 その流れでは、クールベ[注4]も重要ですね。
原田 《オルナンの埋葬》(一八四九年)は、発表当時は酷評されたらしい。オルセー美術館にあるんですけれども、田舎(いなか)の葬式の様子をすごく巨大な絵に描いた。高橋さんがいったように、基本的には理想的だったり崇高だったりするような絵を描くのが、画家の仕事だった時代です。田舎の人たちが墓穴にお棺を埋めるシーンなんて、貴族の寝室や教会に飾れるはずがないでしょう。

高橋 クールベには、「私は天使を描かない。なぜなら見たことがないから」という言葉があって、見たものしか描かないことを徹底したんですよね。

原田 画風だけでなく、モチーフも写実主義なんだね。《世界の起源》（一八六六年）という、女性の下半身を、というか女性器を描いた作品も有名ですね。そういう現実的すぎる、写実的すぎるというのは、マネとの同時代性を感じますね。

自分は何をどう見たか

高橋 「何を描くか」だけではなく、自分は何をどう見たか、どう描いたかっていうこと、つまり、画家の主体性や個性が重要性を帯びる時代になったのが、十九世紀以降ということなんですよね。それが、印象派、ピカソ、デュシャンを経て、いまのアートにもつながっている。

原田 私は、アートは自由な表現ジャンルだと思っています。それは、いまでは当たり前のように思っているけど、そうやって「個」や「わたくし」の表現をしてきた先駆者がいたからこ

エドゥアール・マネ《草上の昼食》(1862 ～ 1863 年)
写真提供:ユニフォトプレス

その、非常に大きな進歩だったんですよね。自分が難解だと思っていた作品やアーティストは、じつはなじみのあるアートと連綿とつながっているということ。それをわかっておくのはとても大事なことだと思いますね。

注1　ウジェーヌ・ドラクロワ（一七九八～一八六三年）は、伝統的な絵画に対して興ったロマン主義を代表するフランスの画家。《民衆を導く自由の女神》（一八三〇年）など。

注2　エドゥアール・マネ（一八三二～一八八三年）は、近代絵画の開祖といわれるフランスの画家。《笛を吹く少年》（一八六六年）など。

注3　フランシスコ・デ・ゴヤ（一七四六～一八二八年）は、宮廷画家も務めた、スペインで最も偉大な画家。《我が子を食らうサトゥルヌス》（一八一九～一八二三年）など。

注4　ギュスターヴ・クールベ（一八一九～一八七七年）は、写実主義で知られるフランスの画家。《画家のアトリエ》（一八五五年）など。

ネクタイの柄（がら）だって抽象画

抽象と具象の繰り返し

原田　デュシャンやピカソが出てきた一方で、カンディンスキー[注1]などを中心とした抽象絵画が生まれてくるわけだけど、なんだか唐突な感じがするよね。何がきっかけなんだろう？《アヴィニョンの娘たち》も形を崩（くず）しているかもしれないけど、あくまでも女性という「対象」を描いているし。

高橋　世界が目に見える世界だけじゃなくて、自らの内面にもあるということに気づいたからじゃないですか？

原田　それまでは神が世界をつくっているといわれていたから、そのままその世界を描いていたけど、神はいないとわかり、画一的な価値観から「個」が生まれて、自分の内面に気づいてしまったということですかね。

高橋 内面、つまり精神や感情には形がないから、それを表現しようと思うと、抽象的な、この世界にある具体的なものではない形で表現するしかないんじゃないでしょうか。それは、個人個人で違ってもいるし、なかなか共有もできない。だから、抽象はわからないっていうのは、しかたないとは思います。でも、考えてみたら世の中、抽象的なもののほうが多いと思うんですよ。アートの問題として抽象が戦後、急に始まったのではなく、人間がつくり出すイメージの歴史のなかでは、模様としてずっと昔からあったんです。

原田 抽象表現の歴史は、じつは長いのかもしれないね。私も、ルーブル美術館最古のコレクションという、四千数百年前の甕(かめ)を見たことがあるんです。そこには、ギザギザしていたり、丸や四角、ドットなど抽象的な模様が描いてある。そのころの人類のことを考えると、なぜ甕が必要かといったら、たとえば雨水を自分たちで飲むためでしょう？ その機能があればいいわけじゃない？ だけど、彼らはそこにわざわざ抽象的な絵を描いている。そんなに昔から人類というのは、のちにアートと呼ばれるようになるものと共存してきたんだなということに感激したんです。

高橋　むしろ、具象と抽象に順番などなかったというふうにも考えられますよね。やはり、アートの歴史のなかで唐突に生まれたのではなくて、昔からあったんですよ。

原田　それに、私は意外と身近だと思ってます。抽象というと、わかりやすい何かが描いてあるわけじゃないよね。人物とか風景とかを描いているわけではないから。だから、つい身構えてしまうけど、たとえば、「あなたがしているネクタイの柄は具象ですか？」って思うんですよ。ストライプとか格子(こうし)柄とかね。なおかつ、それがいいと思って身につけているわけでしょう。

高橋　じつは、抽象的なものは身の回りに溢(あふ)れている。

原田　だから、それを楽しめるという素地は、みんなもっているわけです。それぞれの思いのままに感じられるし、わからなくてもそれでいいと思う。

高橋　戦後、アートの中心はヨーロッパからアメリカに移って、抽象表現主義と呼ばれるムーブメントが起こります。作風はいろいろで、アクション・ペインティング[注2]のポロック[注3]とか、色を塗った面や線で表現するバーネット・ニューマン[注4]、形はあるけど何を描いているのかを具体的に指摘しがたいデ・クーニング[注5]などがいますよね。

原田　マーク・ロスコ[注6]も代表的なアーティストですね。どの作品も、身体的、あるいは精神的な絵画ということなのかな。わかりやすい形が描かれていないからこそ、もっと深い感性や感情に訴えてくるというのが、まさしく「抽象」ということなんだと思う。じっさい、見ているうちに、すーっと絵画と一体化するような感覚はありますよ。

高橋　でも、ロスコって、最初に見たときから素敵だなって思いました？

原田　最初は、わからなかった。とくに、画集で見たときは「ふーん」って感じだったかもしれない。

高橋　私も同じでした。ロスコって長方形の画面が二色で塗られていて、なんというか、もやもやしているじゃないですか（笑）。

原田　でも、見るべき場所で見ると、じつにいいんですよね。ロスコは、自分の作品の展示の仕方を自ら指示したそうですよ。薄暗い空間で四面をロスコの作品に囲まれた、ロスコ・ルームと呼ばれる部屋で見ると、ぞっとするような瞬間が訪れるときがある。この感覚は、アート以外では味わったことのないものです。

高橋　しばらく時間をかけて向き合わなきゃいけない、そういう作品なんですよね。ちょっと見ただけではわからないと思うのは当たり前。実際に展示空間で見ないとわからない。現代アートの特徴でもあるけれど、空間との関係性が大事だとわかる作品です。

原田　だけど、時代が進むにつれ、抽象表現主義はその傾向を突きつめすぎて、だんだん画面が単調になっていき……。

高橋　その反動で出てきたのがポップ・アート[注7]ですね。「第3のドア」でアンディ・ウォーホル[注8]のことについて話しますけど、やはりこうやって見ると、抽象と具象の繰り返しなのかもしれないですね。八〇年代に一世を風靡（ふうび）した新表現主義[注9]に顕著（けんちょ）だと思います。

原田　ドイツ、イタリア、アメリカから、どんどん新しいタイプの絵画が出てきました。抽象絵画がほとんど影を潜（ひそ）めていったあとで、人物などの具象画が現れてきたけど、そこにもひと工夫があって。割った皿をキャンバスに貼りつけて、そのごつごつした上に人物像を描いたシュナーベル[注10]とか、日本でもよく紹介されていました。

高橋　私たちには、絵画に対する潜在的な欲望というのがあるんだと思います。抽象表現のアーティストの側は絵画でしかないもの、絵画でしか存在しえないものを追求し、ある意味、「絵画とは、キャンバスと絵具である」という究極の解に到達した。

原田　とはいえ、見る側は、共感したり感動したりする絵画が見たいと思うからね。それは、心情的にもよくわかる。だから、八〇年代には、感情表現や表現欲求が噴出したんだと思う。新表現主義とかニュー・ペインティングとか、国によって言い方はいろいろだったけど、絵画の見方を問い直したという動きは、たしかにありましたね。

マイノリティーたちの表現

高橋　ここまで、固定された価値観のなかから「個」としての価値観を表現するという流れがあったところに、印象派やピカソ、デュシャンがそれを開花させる一撃を与えてきたという話をしましたよね。そして、抽象表現主義によって、現代アートの在り方が幅を広げたということも少し話しました。私はもうひとつ、現代アートにとって重要なファクターがあると思っているんですが……。原田さん、いままで話してきたアーティストに何が共通しているかわかりますか？

原田　なんだろう、あまりにも有名なこと？

高橋　違いますよ。全員男性で、白人だということです。

原田　なるほど。白人以外でも、女性でもアート作品をつくっているのに。私は『ジヴェルニーの食卓』（集英社文庫）で印象派のメアリー・カサット[注11]を取り上げたけど、女性がアーティストとして大成する困難も含めて書きました。たしかにそうなんですよね。

高橋　つまり、現代アートのもうひとつの特徴としていえるのは、西洋以外の人々や、それまで社会の周縁に追いやられてきた人々による表現が認められるようになってきて、多様化しているということです。

原田　人種、性別、地域などという意味ですね。徐々にいくつもの境界が取り払われて、アートの世界で活躍できるようになってきているわけだ。

高橋　女性に関していうと、フェミニズム・アート[注12]という分類があって、その代表的なアーティストはアメリカのジュディ・シカゴ[注13]です。有名なのは、一九七九年の《ディナー・パーティー》という作品。歴史上文化的に活躍した女性たちが一堂に会して、ディナーをしているという設定のインスタレーションなんです。そこには手縫いのテーブルクロスだったり、手仕事でつくったお皿やディナーセットが置いてあって、そのお皿の形や模様が女性器を模していたりするんです。

原田　女性器の模様とは、大胆ですね。

高橋　もちろん、そのままではなくて、花のように見えるデザインだったり、中には立体的なものもあるんですが、工芸的な美しさがあります。それは何を意味しているかというと、絵画や彫刻が美術の歴史で中心的な役割を果たしているときに、追いやられていた工芸、手工業などの地位を取り戻すということ。手芸などは、それまでアートとは見なされなかったんです。

原田　それを積極的に取り入れたアーティストもいませんでしたね。

高橋　その状況は女性もあてはまります。女性は、どうしてもステレオタイプの美や、妻や母親といった役割が押しつけられてきました。それを壊そうとしたのが、フェミニストのアーティストたちなんです。

原田　一九七〇年前後から始まったウーマン・リブ運動の、アート版ですね。フェミニズム・アートの文脈で語っていいのかわからないけれども、日本人女性のアーティストでいうと、有名なのは草間彌生[注14]さんとか、オノ・ヨーコ[注15]さんがいますね。

高橋　オノ・ヨーコさんは、フェミニズムの要素が多分にありますよ。「男女平等」ではなく、「女性上位」を訴えていたほどですから。

原田　オノさんも草間さんも、五〇年代に日本を出てニューヨークに行きましたよね。アメリカやヨーロッパの中で、日本人の女性というのは、当時はかなりのマイノリティーだったはず。

高橋　そう、現代アートの多様化というのは、西洋文化に対するマイノリティーの活躍ともいえるんです。

オノさんには、《カット・ピース》という六〇年代のパフォーマンス作品があります。舞台上にいるオノさんの傍らにひとつのはさみが置かれていて、観客は、彼女の洋服のどこを切ってもよいと伝えられます。その間、オノさんは黙って座ってるだけ。これは、公衆の面前で女性が裸になるかもしれず、それをみんなが見に来るということですよね。パフォーマンスという大義名分によって、私たちに潜む暴力性を暴きました。

フェミニズムのムーブメントは、女性の権利だけでなく、さまざまなマイノリティーに対しての視点を開拓したという意味で、現在の文化の多様性が許容される先鞭をつけたと、私は思ってるんです。

原田　マイノリティーという概念からして、ふだんの生活のなかでは、意外と気づきにくいかもしれない。それまでの西洋中心の美術史から見た少数派、場合によっては社会的弱者ということですよね。

高橋　それが多様化という話とつながるんですけど、まずは女性、そして日本も含めたアジアやアフリカといった非西欧圏、さらに同性愛者などの性的マイノリティーの表現といったかたちで広がっていきました。

原田　現代アートは、すべてがそうだとはいわないけれども、つねに社会の動きと連動しているところがありますからね。私は、現代アートは「時代の鏡」だと思っているんですね。私たちがいま、どんな問題を抱えているかを問いかけてくる存在なんです。

高橋　権威的なものを疑うというのは、現代アートのひとつの特徴でもありますからね。

原田　多様化した社会をどう受け入れるか、どう向き合うか、その眼差し（まなざし）を感動とともに確認させてくれるから、アートっておもしろいなぁって、いつも思います。

注1　ワシリー・カンディンスキー（一八六六〜一九四四年）は、モンドリアンと同時代に抽象絵画を始めたロシア生まれの画家。「コンポジション」シリーズ（一九一〇年頃〜）など。

注2 アクション・ペインティングは、キャンバスに絵具やインクをしたたらせたり、飛び散らせたりして描いた絵画。

注3 ジャクソン・ポロック（一九一二〜五六年）は、アクション・ペインティングを代表するアメリカの画家。《五尋の深み》（一九四七年）など。

注4 バーネット・ニューマン（一九〇五〜一九七〇年）は、アメリカの画家。幾何学的な構成と色数の少ない色面を特徴とする。「ワンメント」シリーズ（一九四八年〜）など。

注5 ウィレム・デ・クーニング（一九〇四〜一九九七年）は、アクション・ペインティングや、抽象と具象の融合した作品で知られるオランダ生まれの画家。《女1》（一九五〇〜一九五二年）など。

注6 マーク・ロスコ（一九〇三〜一九七〇年）は、抽象表現主義を代表するロシア生まれの画家。瞑想的な大作で知られ、DIC川村記念美術館（佐倉）には、作品七点が展示された「ロスコ・ルーム」がある。

注7 ポップ・アートは、大量生産・大量消費社会をテーマに、一九六〇年代のアメリカを中心に隆盛した美術表現。マンガや広告、有名人の写真などを素材とした。アンディ・ウォーホル、ロイ・リキテンシュタインなど。

注8 アンディ・ウォーホル　84頁参照

注9 新表現主義、ニュー・ペインティングは、一九七〇〜八〇年代の絵画の動向。具象的で、感情表現、物語表現に重きを置いた。

注10 ジュリアン・シュナーベル（一九五一年〜）は、新表現主義絵画を牽引したアメリカのアーティスト。九六年以降は映画監督としても活躍。

注11 メアリー・カサット（一八四四〜一九二六年）は、アメリカ生まれの画家、版画家。印象派の女流画家としてパリで活躍した。《子供の入浴》（一八九三年）など。

注12 フェミニズム・アートは、女性の権利や女性への偏見などをテーマにした、一九七〇年代以降の美術表現。その流れは、現在も続いている。

注13 ジュディ・シカゴ（一九三九年〜）は、アメリカのアーティスト。七〇年代からフェミニズム・アーティストとして評価され、多くの女性アーティストに影響を与えた。七九年の《ディナー・パーティー》は最重要作。

注14 草間彌生（一九二九年〜）は、長野生まれのアーティスト。とくに水玉模様や網目模様の絵画、男性器やカボチャをモチーフにした立体作品などで知られる。世界的に最も有名な日本人アーティストのひとり。

注15 オノ・ヨーコ（一九三三年〜）は、東京生まれ、現在はニューヨークを拠点とするアーティスト。パフォーマンスやインスタレーションを中心に、五〇年代末から、国際的に活動。鑑賞者に指示（インストラクション）を与える作品や、「愛と平和」を訴える作品を制作。六九年、ジョン・レノン（一九八〇年没）と結婚。

そもそも「アート」って何？

アーティストはどのように生まれるか

高橋　話は戻りますけれども、原田さん自身は、現代アートとはどういうものだと思っているんですか？

原田　いってはなんだけど、すごく難しい。なぜなら、私は「現代アートが何か」という前に、「アートとは何か」という命題があると思っているから。たとえば、私が「いまからアーティストになります」といって、ささっと絵を描いたとする。それを美術館に展示したら、それはアートなのかな？

高橋　それは違うと思う。アートというか、芸術にはやはり、価値判断がつきまといます。現代アートの定義が難しいという前提はあるけれども、私は現代アートを、「いま、自分が生きている世の中の複雑さを表すもの」だと思っています。だからといって、単に同時代を生きていればいいというわけではない。作品やモノが人から認知され、その価値が言語化されることも必要だと思いますね。

原田　たしかに、周囲からどう評価されるかというのは重要だと思う。それはどんな芸術の分野でも同じ。小説家も小説誌で発表したり、本を刊行して、読者に読まれて小説家になっていくんだと思いますしね。アートの世界では、評論家やキュレーター、コレクター、アート・マーケット、美術館など、アートを取り囲むいろんな環境があって、それぞれのところでどう評価されているのかということですね。でも、それって、人はアーティストに生まれるのではない。アーティストになるのだ。――ということ？

高橋　そう考えられますね。

原田　ものすごい天才が生まれて、その人がすばらしい絵を描いていたとしても、たとえば地の果てにいて発表する場がなく、認める人もいない場合、その人はアーティストじゃないということなのかな？

高橋　時代を経て発見されたり、再評価されるという場合もありますけどね。ゴッホ[注1]も、生前は作品がほとんど売れなかった。でも、後年にその価値を見出す人がいて、ゴッホについて記述され、その作品を残すべきだという美術館が現れ、その経緯があって確固たる席を与えられるわけですよ。

原田　『楽園のカンヴァス』にも描きましたけど、ルソーもそうですよ。たとえば、アートには、アール・ブリュット[注2]というカテゴリーがある。アール・ブリュットというのはフランス語で、「生(き)の芸術」という意味ですよね。いわゆるアカデミックな教育を受けていないけれども、魅力的な作品をつくる人たちを取り上げている。ルソーのような素朴派といわれる画家たちも、その位置づけにありました。そして、そういうアートが美術館で展示されたり、アート・マーケットで売り買いされたりすることが、実際に起こっているわけです。そうなると、特殊なカテゴリーにもかかわらず、現代アートの文脈のなかで語られることもあるんですよね。

だから私は、「現代アートとは何か」という以前に、「アートとは何か」という疑問があるんです。でも、それは簡単に答えが出ることではないですね。

高橋　とはいっても、展覧会に行ったときや、アーティストの作品集を見たときに、「この現代アーティストはおもしろい」「この現代アート作品は好き」というふうに思ってますよね？そのときの現代アートとは、原田さんにとって、どういうものなんですか？

原田　それは、高橋さんのいった「世の中の複雑さを表す」というのが、まさにそのとおりで、「時代の鏡」だとも思っているし、好きな作品でも嫌いな作品であっても、いまの自分に問いかけてくる何かを感じるものだと思います。人気のある作品や評価の高い作品であっても、「私は好きじゃないな」ということがありますよ。でも、それも含めて、自分と向き合うことができるのは貴重なことだと思うんです。逆に、ほんとうに感動したときは、同じ時代に生きていることが奇跡だと思うことさえある。

アートの定義は難しいけれど、それだから、私は、現代アートを見ることがやめられないんだな。

注1　フィンセント・ファン・ゴッホ（一八五三～一八九〇年）は、オランダ出身、フランスで活動した画家。感情をぶつけるような厚塗りと大胆な色遣いが特徴で、後期印象派とも位置づけられる。奇矯な行動や不遇の生涯なども、よく知られるところ。《包帯をしてパイプをくわえた自画像》（一八八九年）など。

注2　アール・ブリュットは、フランスの画家、ジャン・デュビュッフェが二十世紀半ばに提示した、美術の専門教育を受けていない者、子供、精神障害者などの美術作品を指す言葉。現在では、アウトサイダー・アートとおおよそ同義語。

現代アートは具体的にどこが魅力なのか。
著者流の楽しみ方とは？

第2のドア

現代アートの楽しみ方

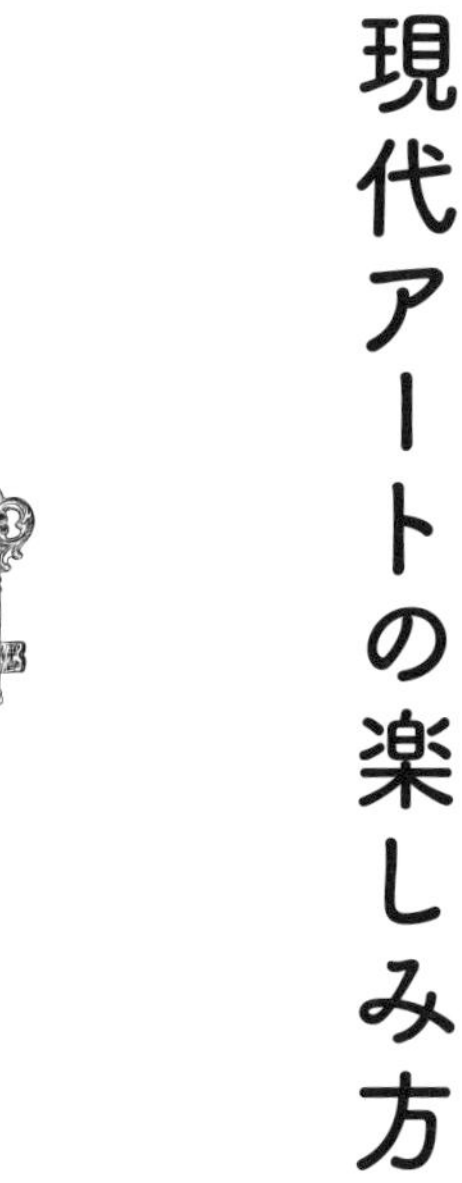

初めての現代アート

きっかけはどこにでもある

高橋　原田さんが現代アートに興味をもったきっかけは、なんだったんですか？

原田　幼いころからピカソやルソーはもちろん好きだったんだけれど、現代アートに興味をもったきっかけは、大学生のとき。私は関西に住んでいたんだけど、洋書や絵葉書を置く雑貨店でアルバイトをしていて、そこの店長にジャスパー・ジョーンズ[注1]やリキテンシュタイン[注2]についてて教えてもらったことかな。卒業後に上京してからは、いわゆるセゾン・カルチャー[注3]にどっぷりはまって。私は、高橋さんより、ちょっと年上だから……。

高橋　バブル経済を謳歌（おうか）した世代ですよね。

原田　そうです（笑）。日本はそのとき、バブルの真っ最中で、池袋の西武百貨店にあった西武美術館（一九八九年にセゾン美術館に改称、九九年閉館）がカルチャーのアイコンだった。
　催事場で展覧会を開催すること自体は、ほかのデパートでも、べつにめずらしいことではなくて、百貨店で展覧会をしてきた歴史は長かったんですよ。でも、西武美術館も渋谷のパルコも、現代アートに特化した展覧会を仕掛けるようになっていたんです。

高橋　セゾン・カルチャーといえば、一九八〇年代、九〇年代の若者文化を牽引していた。

原田　そうですね、レコードと本のショップのWAVE、映画館のシネ・ヴィヴァン六本木に行くことが、かっこいいと思っていた。

高橋　映画は、ヴィム・ヴェンダース[注4]とか、ジム・ジャームッシュ[注5]とか？

原田　ヴェンダースの「ベルリン・天使の詩」、ジャームッシュの「ストレンジャー・ザン・パラダイス」は、シネ・ヴィヴァンで見ましたね。「ストレンジャー・ザン・パラダイス」の真似をして、ベッドのマットレスを床に直置きしたり、ファッションも、ソフト帽にルーズなネクタイしたりして。

高橋　なんだか、恥ずかしい（笑）。

原田　恥ずかしいんだよ、青春というものは（笑）。だけど、これで現代アートが語られれば、もう完璧だと思っていましたからね。『現代美術事典』（美術出版社）を買ってきて「アンフォルメル」から丸暗記したりして、「現代アートについて知っている私。かっこいい」みたいな自意識もあったかもしれない。高橋さんは何がきっかけなの？

高橋　大学のときの同級生が、現代アートのトークイベントに連れていってくれたんです。そうしたら、ぜんぜん話についていけなくて。なぜ、周りの観客が笑っているのかがわからない。みんなは何をおもしろがっているのか知りたいと思ったんです。そのころ、レントゲン藝術研究所[注6]という倉庫で現代アートの展覧会が開催されていて、そこに行ったりもしていました。

原田　ああ、あったね！　大森かな？

高橋　そうですね。それで、いままで自分が美術館で見ていたアートとは違うものがあるというのが、なんとなくわかったんですよ。でも、すぐにはまったわけではなかったんです。大学ではイタリア・ルネサンス美術を学んでいましたし。

リアリティのある表現はマンガだった

原田　高橋さんの卒論は「聖セバスチャン」だったでしょ？

高橋　そうですね。マンテーニャ[注7]という画家が描いた《聖セバスティアヌス》（一四八〇年頃）という絵に興味があったんです。セバスティアヌスという美しい聖人が、何本も矢を放たれて柱に打ちつけられているという絵。そのころ、ピエール＆ジル[注8]というフランスの写真家が聖セバスティアヌスをモチーフにキッチュな写真を撮っていたりして、ルネサンスといまのアートがつながっていることもわかった。でも、自分にとっていちばんリアリティのある表現は、じつはマンガでした。

原田　私たちが仲良くなったきっかけも、マンガでしたからね。竹宮惠子[注9]（たけみやけいこ）の『風と木の詩（うた）』の話で盛り上がった。

高橋　そうですね。私が大学生のときに、原田さんが社会人として早稲田（わせだ）大学の美術史科に在籍していて、学芸員実習のときにたまたま話したんですよね。

原田　もう私は働いていて、アートに関係する仕事もしていたけど、一方でサブカルチャーにも興味がありました。コミケにもいっしょに行ったよね。私たち、いまでいう腐女子（ふじょし）の気があったのかも（笑）。

高橋　そのぐらいから、村上隆[注10]さんや会田誠[注11]（あいだまこと）さんをはじめ、ネオ・ポップ[注12]と呼ばれるアーティストが出始めて、アートとマンガの境目はなんなのだろうと思ったんです。それを知りたくなったのと、村上さんや会田さんといった、私より上の世代がマンガやアニメをモチーフに表現を始めるということは、それよりも若い世代、私以下の世代はもっとポピュラー・カルチャーの言語を使って作品をつくり始めるだろうと思ったんです。

原田　予感があったわけね。

高橋　だって、いまの時代、いちばん最初に接する美術、視覚表現が雪舟[注13]だったという人はあまりいないと思うんです。

原田　たしかに。みんな、マンガやテレビですよね。

高橋　そう、自分を振り返ってみても、小学生のときに描いた絵はマンガみたいなものばかりだったと思うし、リアリティとしてあるのはどっちかというと、ポピュラー・カルチャーの表現なんじゃないかと思って。だから、これから現代アートを見るとしたら、マンガやアニメの言語も知っておいたほうがいいなと思ったんですよ。それで、マンガの勉強を始めることにしました。その後、ロンドンの大学院に留学して、少女マンガについての論文を書きました。

　とはいえ、ネオ・ポップの流れでいうと、たとえば奈良美智[注14]さんの作品は、世間でいわれているようなマンガやキャラ表現との近似性とは少し違った点に注目をしています。横浜美術館での個展「君や　僕に　ちょっと似ている」（二〇一二年）のときに常設展で公開されていた、大きなお皿のような形の絵画作品《回天》が、とくに好きなんです。

原田　どうして、その作品がいいと思ったの？

高橋　奈良さんのその作品は、ヴァルネラビリティー（vulnerability）というんだけれども、傷つきやすさを表現していると思ったんです。子供が描かれているのは、大人に比べると、肉体的にも精神的にも傷つきやすい、すべてがさらされている存在だからなんですよね。そして、お皿型の作品というのは、そんな子供を包み込むような形に見えました。

私は奈良さんの作品において注目すべきは、テクスチャーだと思っているんです。

原田　質感ですね。それはどういうこと？

高橋　奈良さんの作品は、触感を喚起させる。皿の形の作品は、支持体の上に小さなキャンバスが重ね貼りされていて、包帯のつぎはぎみたいな感じになっているんだけれども、それは傷ついた皮膚にどう手当てをするかというようなことを思い起こさせるんです。また、奈良さんはいろんな素材で作品をつくっているけれども、私は、テラコッタの作品が発表されたときにとても腑に落ちました。ツルツルピカピカとか、強いとか、硬いとかいうタイプの素材ではなく、焼き物。焼き物って、土というオーガニックな素材からできているし、ボロボロとしたテクスチャーで、落としたら壊れるものです。だから、大切に扱わないと、あっという間に粉々にになってしまうものなんですよね。だから、壊れやすさをそもそも備えている素材で制作したというところが好きですね。

原田　奈良さんの作品ではつり目の女の子が繰り返し登場して、一種のアイコンともいえるよね。

高橋　だからこそ、私がいちばんいいたいのは、テクスチャーに注目ということなんです。キャンバスと絵具から成立しているだけなのに、その作品を見たとき、人肌を感じたりする。誰にでも、他人と共有できない傷つきやすさってあると思うんです。「こんなことをいわれただけで傷つくの？」というようなこと。それが、ネオ・ポップといわれる表現方法を通して、かわいいというだけではない、深い共感をもって受け入れられたんじゃないかと思っています。

奈良美智《回天》(2001 年)
© Yoshitomo Nara

原田　つまり、個人個人の中にある、自分だけの心の内に触れてくる感覚があるということなのかな。たしかに、似た表現はその後も出てきたかもしれないけれど、奈良さんみたいな繊細(せんさい)

さで描き込んで、同時に独自の造形を生み出し、それを貫いている人はそれほどいないかもしれない。

別の見方から評価すると、私は、奈良さんの登場は、いい意味でアートへのハードルを下げたということを感じています。一般の人たちとの距離感を、すごく縮めたというのは間違いなくあるでしょう？

高橋　そういう意味ではポップ・アートなんだろうけれども、ポップ・アートと違うのは、資本主義や消費社会を批判したというより、パーソナルな問題を共有するための表現だったということですね。でも、その一方で、奈良さんには反核のメッセージが描き込まれている作品もあって、パンク魂も感じます。

注1　ジャスパー・ジョーンズ（一九三〇年〜）は、ポップ・アートを代表するアメリカのアーティスト。星条旗やダーツの標的などを描いた立体作品が有名。《四つの顔のある標的》（一九五五年）など。

注2　ロイ・リキテンシュタイン（一九二三〜一九九七年）は、ポップ・アートを代表するアメリカのアーティスト。マンガのコマを拡大し、印刷の網点まで表現した油彩画で知られる。《ヘアリボンの少女》（一九六五年。東京都現代美術館蔵）など。

注3　セゾン・カルチャーは、一九八〇年代をはさんだ前後二十年ほどの間に、西武グループが仕掛けた都市型文化戦略の総称。主に、池

袋、渋谷、六本木などで展開。美術館、劇場、レコード店、書店、ファッションビルなどで欧米の新しい動向を紹介し、当時のおしゃれに敏感な若者に対する影響力は絶大だった。

注4 ヴィム・ヴェンダース（一九四五年〜）は、ドイツの映画監督。「ベルリン・天使の詩」（一九八七年）、「ミリオンダラー・ホテル」（二〇〇〇年）など。

注5 ジム・ジャームッシュ（一九五三年〜）は、アメリカの映画監督。「ストレンジャー・ザン・パラダイス」（一九八四年）、「ミステリー・トレイン」（一九八九年）など。

注6 レントゲン藝術研究所は、一九九一年から約五年、東京・大森に存在した現代アートのためのスペース。九〇年代以降に活躍する、当時は若手だったアーティストやキュレーターが多く関わった。

注7 アンドレア・マンテーニャ（一四三一〜一五〇六年）は、ルネサンス期に活躍したイタリアの画家。《死せるキリスト》（一四九〇年代）など。

注8 ピエール&ジルは、ピエール（一九四九年〜）とジル（一九五三年〜）というゲイ・パートナーによるフランスの二人組アーティスト。ゲイ・カルチャーに由来する独特の美意識をたたえた写真作品で知られる。

注9 竹宮惠子（一九五〇年〜）は、徳島生まれのマンガ家。『風と木の詩』（一九七六〜一九八四年）、『地球（テラ）へ…』（一九七七〜一九八〇年）など。

注10 村上隆（一九六二年〜）は、東京生まれのアーティスト。九〇年代末以降、マンガ、アニメ、フィギュアなどのオタク的なモチーフを扱った作品と、それらを日本伝統の表現様式に理論的に接続した「スーパーフラット」を展開し、国際的な評価を獲得する。世界のアートシーンに影響力をもつ、日本人アーティストとしては稀有な存在。

注11 会田誠（一九六五年〜）は、新潟生まれのアーティスト。ロリコン、戦争、ナンセンスなどの挑発的なテーマを扱いながら、絵画を中心に、さまざまな表現手段を用いる。二〇一二年の個展「天才でごめんなさい」（森美術館）は、「性暴力を肯定した作品」が展示されているとして、市民団体の抗議を受けたことでも話題となった。

注12 ネオ・ポップは、一九九〇年前後にデビューした村上隆、奈良美智、中村政人、中原浩大らの表現を指した言葉。ポップ・アート同様、サブカルチャーや大衆文化を引用しながらも、マンガやアニメといった参照元に日本独特の傾向があった。

注13 雪舟（一四二〇〜一五〇六年、諸説あり）は、室町時代の禅僧で水墨画家。《秋冬山水図》など六点が国宝に指定されている。

注14 奈良美智（一九五九年〜）は、青森生まれのアーティスト。九〇年代以降、つり目の女の子、やせた犬などを描いたドローイング（素描）や絵画で、現代アートとしては異例の人気、認知度を誇る。陶器や彫刻など、立体作品も多数手掛ける。国際的に評価を得て、当代を代表するアーティストとして名を連ねている。

見られる、会える、話せる現代アーティストたち

アーティストに直接会えることもある

高橋　学生時代、ザ・ギンザ・アートスペースで廣瀬智央(ひろせさとし)さんというアーティストが《レモン・プロジェクト03》(一九九七年)という作品を展示していたのを見に行きました。[注]

原田　私も同じ展覧会に行きました。当時、五感に訴えるような作品はめずらしかった。

高橋　床一面に生(なま)のレモンが敷(し)き詰めてあって、壁にもレモンの香料を含ませたペンキが塗ってある。その床の上にガラスの桟橋(さんばし)のようなものがあって、レモンの空間の中に入っていける、という展示だったんですよね。空間に入った途端、レモンの匂いに包まれるのと、そのレモンはずっと置いたままにしてあるから、色がどんどん変わっていく。それにも驚いて、すご

く感動したんです。時間や生ものを扱うこともアートなんだって思った。

原田　現代アートは鑑賞者が作品の中に入っていったり、参加できるという作品が多いよね。作品に関わるというかね。それは特徴のひとつかもしれない。最初のほうでちらっと出たけれども、インスタレーションですね。インスタレーションにもいろいろあって、「第3のドア」で話すけれども、フェリックス・ゴンザレス＝トレス[注2]とヨーゼフ・ボイス[注3]はぜんぜん違う種類。いや、あらためて「第3のドア」のリストを見てみると、ほとんどのアーティストがインスタレーションを手掛けていますね。アーティストは、作品と空間との関係、さらには時間との関係を意識して制作しているということがよくわかる。

高橋　しかも、廣瀬さんの場合は、レモンの匂いという嗅覚への刺激も含めてアートなんだっていうのが新鮮だったんですよね。そのとき、たまたま廣瀬さんがギャラリーにいらしたんです。廣瀬さんはすごく温和な方で。私は「すごくびっくりした」とか「感激した」という拙い感想をいったと思う。でも、廣瀬さんはすごく気さくに話を聞いてくれて、アーティストと直接話せるということにも驚きました。なにしろ、私はルネサンスの美術を勉強していたから、レオナルド・ダ・ヴィンチなんて……。

原田　イタコを呼ばないかぎり会えない（笑）。

高橋　「モナ・リザって、実際のところ誰なんですか?」なんて聞けないでしょう（笑）。

原田　そうですよ。作品について知りたいことがあったとき、本人の口から聞ける可能性があるというのは、同時代だからこそです。

高橋　目の前にある作品をつくった人が自分と同じ時代に生きていて、話せるということに気づいたとき、興奮した覚えがありますね。

原田　現代アーティストには、会えるチャンスがある。直接でなくても、トークイベントやテレビで姿を見ることができる人もいるし、情報が更新されるから、ライブ感があります。私は、好きなアーティストや好きな作品に出会ったとき、次はどんな作品を発表するんだろうかと考えるとわくわくしますよ。

高橋　ここまで話してみて、原田さんにも私にも共通しているのは、すごく好奇心が旺盛なところということがよくわかりました。

原田　好奇心が旺盛だというのはあるね。やっぱり、「ドア」があったら、中を覗（のぞ）いてみたいし、できれば中に入りたい（笑）。だから、いろんなところに行ってみようとか、アーティストに話しかけてみようとか思うんですよね。自分のほうからアプローチしようと思ったのが、世界を広げたのかもしれないよね。

読者の方にいいたいのは、現代アートは自分からアプローチしていくとものすごく近い存在になるということです。これって、かなり幸福なことだと思うんですよね。

注1　廣瀬智央（一九六三年～）は、東京生まれのアーティスト。旅や異文化をモチーフに、日常性を加味したインスタレーションや立体作品などを発表。作品は、コンセプチュアルでありつつ、視覚的な美しさを備えている。現在は東京とミラノを拠点に活動。

注2　フェリックス・ゴンザレス＝トレス　172頁参照

注3　ヨーゼフ・ボイス　187頁参照

自分の気持ちがここにあったとわかる瞬間

なぜ、わからないと思われるのか?

原田　しかし、冒頭でもいったけれども、現代アートは難しいってどうして思われるのかな?

高橋　それは、現代アートが、みんながすでに知っていることや、わかりきっていることを表現するものではないからじゃないですか?　人々が潜在的に見たいと思っていたり、興味があったりすること、知っていたとしても、それを別の見方から見せるという表現だからなんだと思います。

原田　そうかもしれないね。これまで何度も、現代アートの同時代性がすごくリアルに迫(せま)ってきた瞬間があったから。たとえば、村上隆さんの作品もそうでした。スーパーフラットよりも前の作品ですけど、瞬時に「この人はすごい」と思った。

高橋　どんな作品だったんですか？

原田　村上さんが東京藝大（とうきょうげいだい）の大学院生のころですから、ごく初期の個展でした。ランドセルをずらっと並べた《ランドセル・プロジェクト》（一九九一年）という作品は衝撃的でしたね。

高橋　ワシントン条約で規制されている動物の革を使って、何種類もランドセルをつくったんですよね。しかも、学習院（がくしゅういん）の児童が使っているのと同じ型で、職人に制作を依頼したという作品でした。

原田　そうです。だから、社会風刺（ふうし）を暗示しつつ、私には、幼児性が感じられたんです。村上さんは現代アートの中にオタクの要素を取り込むことをかなり早い段階でやっていて、現代アートとサブカルチャーの融合（ゆうごう）ということに驚いた。

高橋　オタク要素でいうと、村上さんの初期の作品には、ジオラマに用いる小さなフィギュアを使った作品もありましたね。

原田　その時代の雰囲気をアートに取り込む感性はすごいなと感じたし、確実に新しい表現だと思いましたね。

高橋　原田さんにとっての同時代の感性、要するに原田さんが言語化できなかったり、可視化できなかったりしていたものが、そこにあったわけですね。

原田　そのときは小説家でもなかったし、表現手段がなくて、もやもやした思いを抱えていました。そこに、アーティストが目に見えるかたちで、私の気持ちを表したわけです。それにはハッとするものがあったんですよね。

高橋　やっぱり、みんなが知っているんだけれども気がつかなかったり、近くにあるんだけれども見過ごしてしまうものに、アーティストは焦点を合わせている。それは稀有(けう)な力ですよね。アーティストならではの力だと思う。

原田　つまり、視点があるということですよね。アーティストの視点を通して、見える世界がある。自分が見ている世界というものがまずあって、それが現代アーティストの視点を通して見た瞬間に、急に違って見えるということってあるんじゃないかな。私が若いときに経験したそのもやもやというのは、自分が見ている世界の中ではどうにも表現できないんだけど、アーティストが見ているものから感じることはできた。それを表現する力をもっているということが、一般の人と彼らとの違いということなんだよね。

高橋　ときには、これは知りたくなかったということを表現するのも、アーティストの仕事ですよね。ジェイク&ディノス・チャップマン[注1]がセックスとか暴力を、変形させたフィギュアで表現していますよね。ゴヤの有名な《戦争の惨禍》(一八一〇〜一八二〇年頃)を題材にした作品もありました。戦争とか殺戮とか、普通なら、あらためてじっくり見たい場面ではないはず。[注2]ギルバート&ジョージも、写真とCGを組み合わせた作品で、わざわざ排泄物を画面に登場させたりしているけど、排泄というのは、文化も人種も関係なく、私たちみんなに共通した行為ですから。

原田 ショッキングな写真作品で知られるアンドレ・セラーノというアーティスト[注3]も「モルグ」(死体公示所)(一九九二年)というシリーズをつくったりしていますよね。

高橋 どんな作品なんですか?

原田 自殺した人の遺体の一部を、大きな写真にしているんですよ。パリの画廊で見たんですけど、そのときはひとりで行っていたから、夜に寝られなくなってしまった。だから、必ずしも見たいものを見せてくれるってわけではない。

高橋 同じアンドレ・セラーノの《ピス・クライスト》(一九八七年)は、その過激さで物議をかもしましたが賛否両論あります。「ピス」というのは「おしっこ」ですが、セラーノ本人の尿の中にキリスト像を入れたという写真作品。でも、私はこの作品をきれいだと思うんです。キリスト教徒でない私にとっても、不穏さみたいなものは感じますよ。でも、色や構図は、きれいなんです。八〇年代、九〇年代は、単なる美しさへの問い直しというか、アートにとっての美しさとは何かということを問題視する傾向が強まったとは思います。

原田　だとすると、何が重要なのかな？　見る人の注目を引くための過激さかな？

高橋　人の感情を挑発するということはあると思う。あえて汚いものを扱ったり、タブーを破ろうとしたりするアート表現は多いですよね。

原田　私も《ピス・クライスト》を見た瞬間は、美しいなと思った。でも、小便の中にキリスト像を入れているという先入観が、美しいと思う気持ちに勝(まさ)ってしまった。そう感じたり、考えたりすること自体が、そのアーティストの思惑なのかもしれないね。

高橋　人間は、きれいなものを見たいという強い欲望もある一方で、すごくおぞましいものを見たいという逆の欲望もあるんじゃないかと思います。

ここまで、アートとは、人間がどんなものをどのように見ているかを表してきたと話しましたね。人間が自分の周りにある世界への認識を描いてきたんだ、と。ということは、当然、美しいものだけではないんですよ。同じ人間の中に、いい面もすごくいやな面もある。集団になったときも、同じだと思います。つまり、人間がもともと複雑さを備えているから、そこに尽きない題材があるんでしょう。

注1　ジェイク&ディノス・チャップマンは、ジェイク（一九六六年～）とディノス（一九六二年～）という、じつの兄弟によるイギリスの二人組アーティスト。チャップマン兄弟とも呼ばれる。暴力的なテーマやグロテスクなモチーフが、たびたび賛否両論を呼ぶ。

注2　ギルバート&ジョージは、ギルバート（一九四三年～）とジョージ（一九四二年～）による、イギリスを拠点とする二人組アーティスト。二人が台座の上で歌い続ける「歌う彫刻」パフォーマンス、ヌードや排泄物の写真がコラージュされたステンドグラス状の作品など、美術概念や宗教観を揺るがす作品で知られる。

注3　アンドレ・セラーノ（一九五〇年～）は、アメリカのアーティスト。性や死などの宗教的なタブー、アメリカのマイノリティーなどをモチーフにした美しい写真作品で知られる。

見る人によって違う答えがあっていい

受け入れられなかった作品

原田　先ほど、「アーティストは、ときに見たくないものを見せてくる」という話をしたけれども、著名なアーティストの作品の中にも、自分が受け入れられない作品があるんですよ。たとえば、デミアン・ハースト[注1]には、二頭の牛をまっぷたつに切ってホルマリン漬けにした《母と子、分断されて》（一九九三年）という作品があります。あるいは牛の頭部を巨大なガラスケースの中で腐らせた《千年》（一九九〇年）。ハーストにすごく才能があることはわかっているし、稀有な作品だとは思うけれど、作品単体としてはビジュアルや臭いの点で生理的に苦手。だけど、デミアン・ハーストがそれによって伝えたいことがたくさんあるのは理解できるし、どう感じるかは受容する側の感性や気分、そのときの状況次第で変わってくると思うんですよね。

高橋　ハーストは、現代アートの本をつくるなら絶対に出てくる、重要な現代アーティストとして評価されています。私はまったく問題なく見られますけど、原田さんは受け入れがたいという。それはそれで、健全な在り方でしょう。現代アートのおもしろさというのは、自分がそれまでもっていた価値観を、作品と向き合うことで照らし合わせることができるという部分にもあると思うんですよね。だから、本に載っているからとか、有名だからとかいう理由で、それが傑作だと思い込む必要はないんですよ。

原田　それはそうだね。そうやって自分の価値観に気づかされることも、アートを見るという経験のおもしろさではあるからね。

このベコ六歳、アートはヌード

高橋　《母と子、分断されて》が森(もり)美術館で展示[注2]されたとき、私も見ました。そのとき、観光ツアーで来たおじさんたちがたくさんいて、「あー、このベコ、六歳だな」っていってたんです（笑）。「なるほど、六歳なんだ」って納得して、その反応はすごく新鮮だった。

原田　「このベコ、六歳」。私に、その視点はなかった（笑）。それで思い出したけど、作家になる前、フリーのキュレーターだったときに「セントラルイースト東京」という、東京の東側のエリアを現代アートで活性化させるイベントに参加していたんですね。その第一回目か二回目のときに、「展示しているエリアを紹介するためにマップをつくるから、お店を掲載させてもらえないか」と地元の方に説明をしてまわっていたんですよ。それで、かれこれ三、四十年はやっているような老舗（しにせ）カレー屋さんを訪ねて、そこのおばさんに「じつは現代アートのフェスティバルをやろうと思っていまして……」と説明したんです。そうしたら、そのおばさんが「えっ？　あんた、アートのフェスティバルって……、そんなの嫌よ。だって、アートってヌードでしょ？」っていったんです（笑）。

高橋　アートといえば、ヌード。おもしろいけど、わかる気もする。

原田　それがすごく衝撃的でしたね。アートはヌードだと思っている人がいるということと、そういいきってしまう潔（いさぎよ）さというか……。でも、それは彼女の価値観であり、彼女の認識なんですよ。実際にヌードもあるわけだし、それを否定できるかというと、できないと思った。高橋さんなら、そういわれたらどう答える？

高橋　ちょっと困ってしまうけど、「ヌードじゃないのもあります」っていうしかないですね

デミアン・ハースト《母と子、分断されて》(1993年)
Photo: Prudence Cuming Associates Ltd.

(笑)。

原田　そうでしょ？　私も、まったく同じく、そういいました(笑)。

注1　デミアン・ハースト（一九六五年〜）は、世界一有名な現代アーティストとして九〇年代から君臨するイギリスのアーティスト。動物や昆虫の死骸、骸骨、薬剤などを扱う作品はいずれも生と死をテーマにしており、発表のたびにスキャンダラスな論議を呼ぶ。作品が最も高額で売買される存命アーティストでもあり、話題には事欠かない。

注2　「英国美術の現在史：ターナー賞の歩み展」（二〇〇八年、森美術館）のこと。

もしかして歴史の目撃者になれるかもしれない

普通の営み(いとなみ)のなかから自分なりの表現を探究している

高橋　アーティストはたしかに、私たちと違う視点や視野をもっていますが、ともすると、あまりにも特殊な人種だと思いすぎてしまうことはあるかもしれない。たとえば、ゴッホは、それが顕著なアーティストですよね。自分の耳を自ら切った狂気の画家というふうに、常人の感覚とは違うエピソードが際立(きわだ)ちます。でも、ゴッホだって食事をするし、排泄もするし、喜怒哀楽もある。つまり、私たちと違わない、同じ人間なんですよね。

原田　アーティストも普通の人間なんだということは、私もずっと感じていたことです。『ジヴェルニーの食卓』は、まさにその視点で書いたんですよ。名画を描いた巨匠として称(たた)えられているセザンヌ[注1]でもモネ[注2]でも、人に裏切られたり、愛したりという普通の人間の営みがあった。そのなかで、苦悩したり喜びを感じたりして、あれらの作品が生まれてきたということを伝えたかったんです。印象派の画家たちって、日本ですごく人気があるし、いまや作品には高い価値がついていますけども、彼らもその時代では現代アーティストだった。

高橋　その時代の社会や文化の影響を受けながら、自分なりのアート表現を探求していたというのは、いつの時代でも同じですよね。

原田　いまを生きている現代アーティストたちも苦悩し、裏切り、愛し、という生活のなかで、自分にしかできない表現を模索(もさく)している。巨匠と呼ばれている百年前のアーティストも、いつか巨匠と呼ばれるかもしれない現在のアーティストも同じなんです。

　それなのに、それこそ電話やメールでつながるかもしれない、展覧会場で話ができるかもしれないアーティストたちに興味を向けないのはもったいない気がする。たくさんある選択肢の中で、現代アートを絶対好きにならなきゃいけないということはないですよ。でも、とりあえず見てみる、ドアを閉めてしまわないというのは、大事なことじゃないかなって思いますね。

高橋　現代アートの楽しみは、自分と同時代に生きている人の独特な表現、新しい視点を、リアルタイムで見られることなんですよね。

原田　そうですね。自分たちが思いもよらないような表現や手法を使っているから、なおさらおもしろい。先ほどもいいましたけど、自分が感じていたもやもやした気持ちを、あるアーティストがアートの言語で置き換えてくれているということに対して、驚きや意外性があるわけです。それは美しいものかもしれないし、ショッキングなものかもしれない。でも、それがハッと自分の胸に飛び込んでくる瞬間って必ずあると思うんですよね。

高橋　十七世紀の画家、フェルメール[注3]にしても、その作品の価値を見出されたのは十九世紀末のことでした。いまでこそ、フェルメールの作品が展示される展覧会は、長蛇（ちょうだ）の列ができるほどの人気ですよ。でも、それまではまったく無名の画家だった。アーティストに対する評価が変わっていくのを目撃するのも貴重なことだと思うし、わくわくすることだと思います。その場に立ち会うことは、過去の人にはできないし、未来の人にもできないことだから、歴史の目撃者になっていることを意識しながら見るとおもしろいかもしれませんね。私にはときどきあるんですけど、いま見た時点では作品のよさがわからなかったけれど、たとえば三年後に、「あ、このことを予見して描いてたんだ」っていうこともあります。

原田　あとから、その作品の先見性に驚くということはありますね。それは、小説でもそうですよ。私は『三国志（さんごくし）』が好きなんだけれども、十代のときに読んだのと、三十代のときに読んだのとでは、感想がぜんぜん違う。おそらく、六十代のときに読んだら、さらに違った読み方になるんだと思う。だから、五十五歳になったらもう一回読み返そうかと思っているんだけどね（笑）。現代アートも、すぐに理解できなくても、何年後かに同じものを見たときに、もしかしたら新しい発見があるかもしれない。これからの人生が、もっと楽しみになりますね。

ドーンと自分の中に入ってくる瞬間がいつかある

高橋　アートだからどうとか、難しく考える必要はないのかもしれません。人間の出会いと同じだと思いますよ。ちょっと話したら気が合わなさそうだなと思って、話さなくなってしまう人もいるじゃないですか。だけど、数年後に会ったら意外と気が合うかもしれないですよね。自分が変わったからかもしれないし、相手が変わったのかもしれない。出会うタイミングもあるから、出会いそのものを拒む必要はない。

原田　たしかに、受け手側の心のもちようによっても変わるからね。人生でいろいろな楽しいこと、悲しいことを経験するなかで、十代のときはわからなかったのに、三十代になって意味がわかるということは絶対にあると思います。あるとき、自分の中にドーンと入ってくるような感覚。

高橋　そのドーンと入ってくる瞬間の気持ち自体は、経験してもらわないと共有できないんです。

原田　では、それをどう経験したらいいのかということになると思うけど、やっぱり展覧会に足を運んで、できるだけ見続けることだと思う。

高橋　そうですね。美術館や展覧会で作品を見てほしい。名前を聞いたことがないアーティストでも、どんどん見に行ってほしいですね。

原田　そうしたら、その瞬間はいつか訪れる。「第4のドア」以降では、美術館をはじめ、いろんなアートを見られる場所に行って、エッセーを書いています。テレビのアート番組やアートの本を読んだだけで満足せず、実際に見に行くことの楽しさが伝わってほしいと思います。ぜひ、じかに体験してほしいんですよね。そのためなら、私と高橋さんは、アートの伝道師になる覚悟ですからね（笑）。

注1　ポール・セザンヌ（一八三九〜一九〇六年）は、フランスの画家。印象派の時代を経て、風景の把握や画面構成に独自の形態理論を応用させた。近代絵画の父とも呼ばれる。《大水浴図》（一八九八〜一九〇五年）など。

注2　クロード・モネ（一八四〇〜一九二六年）は、フランスの画家。印象派の筆頭であり、数多の傑作を残した。一八九九年以降の「睡蓮」のシリーズは点数も多く、とくに人気が高い。《ラ・ジャポネーズ》（一八七五〜一八七六年）など。

注3　ヨハネス・フェルメール（一六三二〜一六七五年）は、十七世紀のオランダの画家。当時は不遇であったが、美しい光の表現と緻密な構成、さらには三十数点しか作品が現存していない寡作ぶりなどから、現在では熱狂的なファンも多い。《真珠の耳飾りの少女》（一六六五年頃）など。

現代アートを鑑賞するうえで欠かせない
十五人のアーティストとは？

第3のドア

ふたりが選ぶ、
いま知っておきたいアーティスト

商業デザインからアートへ
アンディ・ウォーホル

アンディ・ウォーホル　Andy Warhol
一九二八年、アメリカ生まれ。サブカルチャーと深く関わり、六〇年代以降はポップ・アーティストとして一世を風靡する。マリリン・モンローの肖像に荒々しく彩色したシルクスクリーンなど、代名詞的作品は多い。有名性、死、大量消費などを主題に、自らもマスコミを利用しながら、大衆文化をアートに取り込んだ。八六年に没す。

ポップ・アートが生まれた背景

高橋　現代アートの話をするなら、ポップ・アートの大御所、アンディ・ウォーホルをはずすわけにはいきませんよね。ウォーホルのファンは、日本でもすごく多い。でも、その一方で、ウォーホルがアメリカ人だからか、ポップ・アートの始まりがイギリスだったことは案外知られていないですね。

原田　ポップ・アートの走りとしては、リチャード・ハミルトン[注1]のコラージュ作品《いったい何が今日の家庭をこれほどに変え、魅力的にしているのか？》（一九五六年）が有名です。ポップ・アーティストとしてのウォーホルは、一九六〇年代に入ってからですから。

五〇年代後半から六〇年代くらいというのは、サブカルチャーの時代の始まりなんじゃないかと思うんです。しかも、テレビや雑誌といったマスメディアの影響や、モードや音楽といった趣味の流行などが大衆文化となって、みんなが同じような生活を送るようになった。それをうまく作品にしたのが、ハミルトンなんだと思う。

高橋　先行世代や権威に対するカウンター・カルチャー[注2]の時代でもありますね。それらがアートのなかで表現されたことが、ポップ・アートの重要な要素になっています。

原田　ポップ・アートが出てきた背景には、資本主義における大きな流れが変わったということがあると思う。それは、資本主義のおかげで多くの都市生活者が豊かになり、大衆文化を謳歌することができたということ。そして、いまいったような大衆文化が、アートに移行したり、流入したりしたのがポップ・アートだと思うんです。アートだけ突然に出てきたわけじゃなくて、そのときのさまざまなカルチャーが呼応したからこそ、ポップ・アートたりえた。

高橋　「ポップ」というのは、弾けた感じを表すポップと、ポピュラーの略語としてのポップの両義語ですからね。

原田　ポップ・アートは、経済成長によって生まれた必然のアートなんですよね。ウォーホルは、そのあたりをしっかり自覚して表現していたんだと思います。

高橋　よくいわれるのは、大量生産、大量消費ということですよね。キャンベルスープの缶詰を描いた作品はよく知られていますけど、まさにアメリカ人なら誰でも日常的に見ているし、食べているし、実際にスーパーにはずらりと陳列されている商品です。それをわざわざアートとして見せたというのは、同時代への迎合（げいごう）というだけではない、肉筆や唯一無二をやみくもに尊重するアート制度に対する批判でした。

増幅したイメージが肉体を殺す

原田　ウォーホルの作品としては、マリリン・モンローやエルビス・プレスリーのポートレートを刷ったシルクスリーン[注3]も有名ですね。これも、マスコミを通して誰でも知っているイメージを流用している。大衆文化の象徴という意味では、キャンベルスープと同じですよね。

高橋　大衆がふだん消費しているイメージ、いいかえれば、誰でも知っている有名なものを現代アートに転化した。また、ウォーホルは「死」という問題も扱っていました。たとえばマリリン・モンローの作品は、彼女の死後に制作を始めているんです。シルクスクリーンはいわば版画の一種ですから、消費と死の問題を扱うときに、複製という手法を選んだ点も、ウォーホルの特徴だったのではないかと思います。

アンディ・ウォーホル《100個の缶》(1962年)。スーパーマーケットの陳列棚のように、同じ缶詰が積み上げられている

マリリン・モンローの場合だと、同じ顔写真を何枚も刷って、それぞれ色違いで描いている作品があります。マリリン・モンロー自体はかけがえのないひとりの人間であるはずだけど、セクシー女優といったつくられたイメージが大衆に広まっていくと、さらに別のイメージがつくり上げられ、そのイメージがどんどん増殖していく。そうやって本人からずれたイメージが社会に増幅されていった結果、人間としてのマリリン・モンローは忘れられてしまうわけです。この作品は、イメージによって肉体が殺されてしまうということを表現したんじゃないでしょうか。

原田　ほかにも、電気椅子のシリーズとか交通事故現場のシリーズとか、死のイメージを扱った作品は多いですね。

高橋　そういう新聞の片隅に載るような残酷なシーンも、わざと大きなシルクスクリーンにしたりしています。それは、「死」という厳粛（げんしゅく）なはずの出来事も、写真という複製可能なイメージになることで、死の一回性の重みがすっかり奪われてしまうということなんだと思います。

このアートの作者は誰か

原田　私は、ウォーホルがとてもミーハーだったというのも、画期的だったんじゃないかと思っているんですね。ミーハーであることをアートで表現する人って、それほどいなかったんじゃないかな。

ウォーホルは、もともとはグラフィック・デザイナーやイラストレーターをやっていて、そのあと、アーティストに転向しています。それと、スロバキアからの移民の子としてアメリカで生まれたり、ゲイであったり、マイノリティーだったことも事実。たぶん、そういった出自やそもそもの性格もあいまって、自分を崇高なアーティストに見せるのではなく、ミーハーな部分をさらけ出したんだろうと思う。

高橋　有名芸能人も好きだし、残酷なニュースも好きなアーティストとしてね。

原田　「僕も、みんなと同じ、大衆文化の申し子のひとりだ」というのは、アーティストの在り方としては新しかったと思いますね。

高橋　ひとりでキャンバスに向かう孤独なアーティストではないというのは、ファクトリーという工房を率(ひき)いて、アシスタントにシルクスクリーンを制作させていたという点でも納得しますね。

原田　ウォーホルは、デュシャン以降のレディメイドの概念を、ほかのアーティストとは違ったかたちで引き継いでいるんだと思う。

たとえば、ブリロという、アメリカで人気があった食器洗い用パッドがあって、どこの家庭にもその外箱があった。その外箱を合板で複製したオブジェを制作するんだけど、自分ではほとんど手を着けないんです。

高橋　このアートは誰の作品なのか、という問いかけですね。

原田　ウォーホルは、優秀なアート・ディレクターだということですよね。ミック・ジャガーとかモハメド・アリとか、それこそあらゆるセレブの写真をポラロイドで撮って、拡大して、デザインして、この色をここに使って、と決めたら、あとはアシスタントが工房でシルクスクリーンで刷って、最後に自分がサインをするというつくり方。これはまさに、ディレクターです。

中世の時代には工房というのがあって、そこの頭領を中心に、名もなき職人たちが工芸品や美術品をつくったわけですよね。まさにそれを六〇年代に再現した。「僕は、指示出しして、最後にサインするだけでいいじゃん」みたいな感じは、アートに対するある種の皮肉でもあったんだと思いますね。

高橋　私小説みたいな「私にしか書けないこと」とか、「私に独特の表現」とかいった個性重視の風潮に対する皮肉もあるんでしょうか。

原田　せせら笑うというか……。でも、それが現代アートのシステムに対する批評になっている。

高橋　ウォーホルは、メディアの寵児（ちょうじ）というイメージが強くて、もちろんそれも彼の狙（ねら）いどおりなんだろうけど、批評性の強さあってのことです。大量消費の時代にウォーホルは「キャンベルスープのパッケージの美」という新しい美を発見したんです。それまでになかった新しい美学です。

原田　美術館に行って、キャンベルスープが巨大な画面に描かれている作品を見た人は、自分と現代アートの距離が縮まった感覚はあったと思う。その一方で、リキテンシュタインのように、マンガを巨大化させたらアートになるの？　とか、それこそ、便器もアートなの？　という問題につながっていく。

ともかく、ウォーホルは、当時の時代の流れにうまく乗った人だったんだと思います。スーパーに置かれた商品をアート作品として見せたように、自分をスターに仕立て上げるためのセルフ・プロデュースに長（た）けていた。戦略的なミーハーとでもいいましょうか（笑）。

高橋　メディアによく出ていたし、自らテレビ番組や雑誌をつくってもいますね。ウォーホルにとっては、自分の作品と同様、自分自身のイメージもアート作品だったのでしょう。

注1　リチャード・ハミルトン（一九二二～二〇一一年）は、イギリスのアーティスト。五〇年代に発表したコラージュ作品によって、ポップ・アートの先駆者となった。ビートルズが六八年に出したアルバム（通称「ホワイト・アルバム」）のジャケットを手掛けたことでも知られる。

注2　カウンター・カルチャーは、既存の文化やいわゆる体制に不満をもつ若者たちが主導、共鳴した対抗文化のこと。限定的には、一九七〇年前後においてのボブ・ディラン、ニール・ヤングらに象徴されるロックや反戦運動などを指す場合もある。

注3　シルクスクリーンは、版画技法の一種。大量印刷はできないが、紙だけでなく布への印刷も容易で、版の数だけ多色刷りも可能になる。

匂いや感触さえも表現にした
エルネスト・ネト

エルネスト・ネト Ernesto Neto
一九六四年、ブラジル生まれ。柔らかい布素材を使った有機的な形態のオブジェや、そうしたオブジェを空間に配置するインスタレーションなどが有名。作品そのものの香りや感触から促される精神的な作用も、鑑賞体験の要素となる。二〇〇一年のヴェネチア・ビエンナーレではブラジル館代表。日本でも、多くの展覧会に出品している。

お餅のように柔らかい彫刻

原田　エルネスト・ネトは、ずいぶん日本でも紹介されていますね。彼の作品は、なんというか、柔らかくて、いい感じにぷにゅっとして、心地よい。

高橋　お餅みたい。

原田　お餅彫刻（笑）。そこが、日本人の心の琴線（きんせん）に触れるのかも。

ネトの作品は、「ソフト・スカルプチャー」。スカルプチャーがソフトという時点で、本来ならありえないということですよ。ソフト・スカルプチャーといえば、クレス・オルデンバーグ[注1]が元祖ですけど、オルデンバーグともまったく違う方向性ですね、ネトは。

高橋　オルデンバーグの彫刻作品は、普通の彫刻なら頑丈（がんじょう）な素材でつくるところなのに、空気を入れて立ち上がらせる、ビニール製のバルーンみたいな構造になっています。巨大な電話とか電気のコンセントとか、世界各地のありとあらゆる美術館に収蔵されていますね。

原田　オルデンバーグは、ポップ・アートの文脈から出てきたから、身の回りにあるものからモチーフを選び、柔らかい素材を使って、巨大化させてつくった。彫刻は硬いものだという概念に対して、誰もつくっていないもの、新しいものをつくろうとしたという意味でも、オルデンバーグの作品はおもしろい。そして、ネトは、その系譜ではない気がします。

高橋　そうですね。まず、ストッキングを思わせるような薄い素材や網のような素材を使っている作品では、なにか具象的な形があるものをつくっているわけじゃないし、インスタレーションとして作品化しているから。

原田　観客がインスタレーションの中に入って、そのソフト・スカルプチャーで遊んだり、座り込んでリラックスしたりできるというのがいいですね。

高橋　そう、私はビーズクッションの感触を思い出したんですけど、ネトの作品の場合は、さらにスパイスが入っていて、独特な香りがするんですよね。すごくいい匂いがする。

原田　彼はブラジル人よね。だから、その香りには、異国っぽい雰囲気がある。でも、私たち

美術館の吹き抜け空間を使った、エルネスト・ネトの《(リヴァイアサン・トト―指より) リキッド・フィンガー・タッチ》(2008年) の展示風景　撮影：森田兼次

からすると、ほんとうにお餅という言葉がぴったりかも（笑）。オーガニックな感じで、柔らかそうな形が日本人にも受けるというか。しかも、空間の中に入っていくという楽しさは、受け入れてくれる安心感につながっている気がする。

高橋　東京都現代美術館の「ネオ・トロピカリア」[注2]展で展示されていた抱き枕みたいな作品は、抱擁（ほうよう）されるときのような安心感を疑似体験できるんですよね。

だから、硬いはずのものを柔らかくしたオルデンバーグと違って、ネトの場合は、人間の身体がもっている柔らかさや、有機的な形態を肥大化させたようなところがありますね。色もパステルカラーで、やさしい印象ですし。

原田　誰もがもっている普遍的な部分に触れてくるよね。母胎回帰みたいな感性とか、丸いもの、柔らかいものに対して慈（いつく）しむ思いとか。身体的な気持ちのよさって、人間はみんな共通していると思うのね。人気があるのは、すごくよくわかる。

そして、アート作品として見たとき、意外とどんな空間にでも合うということもありそうですね。無機質な空間にも合うし、教会みたいなゴシック空間で展示されている写真を見たことがあるけれど、それもすごく合っていると思った。もちろん、作品と空間との関係性を研究して、その場所、その場所で展示を変えているはずでしょうけどね。

鑑賞者が関われるからこその悩み

原田　そういえば、私がネトの作品を最初に見たのは二〇〇〇年ぐらいだと思うけど、MoMAだったんですよ。一階から三階まで続く吹き抜けに、それこそお餅みたいに伸びていて、すごくきれいだった。有機的な形だからこそ、モダンなMoMAの建築に絶妙に合っていた。もちろん触りたくもなるんだけど、たぶん、そのときは触っちゃいけない作品だったと思う。

高橋　白い作品だと、手垢（てあか）でどんどん黒くなるから。

原田　仏像みたい。愛されれば愛されるほど、なでられて、なでられて、すり減っていく。

高橋　膝（ひざ）のところだけ、異様に色が薄いみたいな（笑）。

原田　素材さえ指定できれば再制作もできるんだろうけど、所蔵の方法はどうなっているんだろう。

高橋　たしかに、腐っちゃったり、カビが生えちゃったりする素材はあるでしょうね。でも、それは取り替えが可能ですからね。

原田　観客が関われるアートにもいろいろあって、ネトの作品は、汚れるけど、愛されている。

高橋　ネトがどういうことを考えたのかはわからないけど、作品が遊具みたいに扱われることを危惧し始めているような気がします。最初のころは、「こういう彫刻の在り方がある」という意義があったとは思うんだけど……。

原田　触ることができる、遊べるという、新しいコミットの仕方として。

高橋　そう、遊具か彫刻かというバランスがすごく危うくなってきた。だからなのか、新作で違う方向にもチャレンジしています。

新しい一歩を踏み出したネト

原田　最近は、どんな作品を制作しているの？

高橋　私が最近見たネトの新作は、ソテツの葉の形をした鉄の作品だったんです。まだ脱皮途中という感じなんですけど、その転換はすごいと思った。同じアーティストの作品とは思えないかもしれません。

そのとき、温室や植物園に石像のような彫刻が置いてあるところを撮った写真作品も展示してあったんです。植物と石像という関係性をモチーフにしているんだと思うけど。

原田　ソフト・スカルプチャーから、ハード・スカルプチャーに変わった。共通するのは、有機的なものと無機的なものの関係性ということなのかな?

高橋　そうだと思う。鉄の彫刻というのも、やっぱり人が触れたり関わったりする立体であることは同じですよね。植物や人間の身体といった、オーガニックなものから形態を取ってきているんだということは、あらためてよくわかりました。

原田　基本的な関心は変えてないということね。でも、ネトに展示の依頼をする側からしたら、期待していた作品と違うということになりそう。

高橋　でも、ネトの作品は、遊具的な関わり方もできるけど、遊具ではない。「彫刻とは何か」ということを、アーティストとして問題視していたと思うんですよね。

原田　さらに一歩踏み込ませようと思ったんでしょうね。たしかに、そういったジレンマは、アーティストにはつきものかもしれない。アート・ワークであることは間違いないから、制作のコンセプトまで、外部から踏み込まれすぎてしまったらどうするか。

高橋　だから、真逆の方向性の作品を見て、勇気があると思いました。

原田　ネトの作品といえば柔らかくて安心感をもたらすソフト・スカルプチャー、というイメージが強い人にとっては、ショックかもしれない。でも、要するに、自己模倣に陥(おちい)らなかったということですね。

高橋　そうです。だから、「何、これ？　私の好きなネトじゃない」と感じた人も多かったはず。

原田　それを越えられるかどうかというのも、アーティストの大きなハードルだと思う。それができなかったら、自己模倣になってしまうでしょ？　ネトの新しい方向性への転換の話を聞いて、私はかえってホッとしました。

注1　クレス・オルデンバーグ（一九二九年〜）は、アメリカの彫刻家。ポップ・アートとして制作した、日用品の形態を巨大化させたパブリック・アート（公共空間に設置する作品）やソフト・スカルプチャーで知られる。東京ビッグサイトにある十五メートルを超える鋸の彫刻も、オルデンバーグの作品。

注2　「ネオ・トロピカリア：ブラジルの創造力」展、二〇〇八年十月二十二日〜〇九年一月十二日、東京都現代美術館。〇九年、広島市現代美術館に巡回。

発光ダイオードを使うという新しさ

宮島達男

宮島達男　Miyajima Tatsuo
一九五七年、東京生まれ。東京藝術大学大学院修了。八〇年代末からLEDのデジタル・カウンターを使った作品の制作を始め、九九年のヴェネチア・ビエンナーレの日本館代表として発表した《MEGA DEATH》（メガ・デス）は、最大規模のインスタレーションのひとつ。同作のほかにも、戦争における生と死をモチーフとした作品は多い。元東北芸術工科大学副学長、元京都造形大学副学長。

初めて買おうと思った現代アート作品

原田　宮島達男さんは、ほんとうにユニークなアーティストだと思うんです。ちょっと自慢させてくださいね。私は、雑誌に掲載された宮島さんの作品が気になって、一九八七年だと思うけど、銀座の画廊に見に行ったんですよ。そこで見たLED（発光ダイオード）のデジタル・カウンターを使った小さい作品が、十万円だったんだけど、すごく欲しくなって。それが、現代アートを買おうと思った最初の瞬間でした。そのときの私の月給が十二万円だったから、けっきょく買えなかったんですけど、宮島さんは有名になったし、宮島達男といえばデジタル・カウンターともいえるから、私は若いときから目利きだったのかも、と。いまは、そうとう価値が上がっているでしょうね（笑）。

高橋　八八年のヴェネチア[注1]・ビエンナーレの若手作家部門（アペルト88）で高い評価を得ていますからね。そして、九九年のヴェネチア・ビエンナーレ日本館に出品した《MEGA DEATH》で世界に認められた。原田さんの目は正しかった！

原田　私は、「新しいアートを見つけた」という喜びで、当時、宮島さんが所属していた名古屋の画廊から連絡先を聞いて、勤務していた馬里邑美術館（現在は閉館）で「展覧会をさせてほしい」って電話をしたんです。宮島さんと直接電話で話したら、「画廊宛てに企画書をいただいたら、積極的に検討します」といってくれて、すごくうれしかった。なのに、上司に「何がおもしろいの？」と否定されて、実現できなかったんです。

高橋　でも、初めて見たときに、作品の説明がなくてもピンときたんですか？

原田　もちろん！　ＬＥＤを使ったアーティストなんて間違いなくいなかったし、前例のないことが現代アートにとって重要なことも直感でわかっていて、「日本からすごいアーティストが出てきたぞ」と思った。

　カウンターが1から9まで順にチカチカ光って、0のときにすべて消える。「無」になるわけね。そしてまた1から始まるという「輪廻」を新しいメディアで表現しているんだと。で

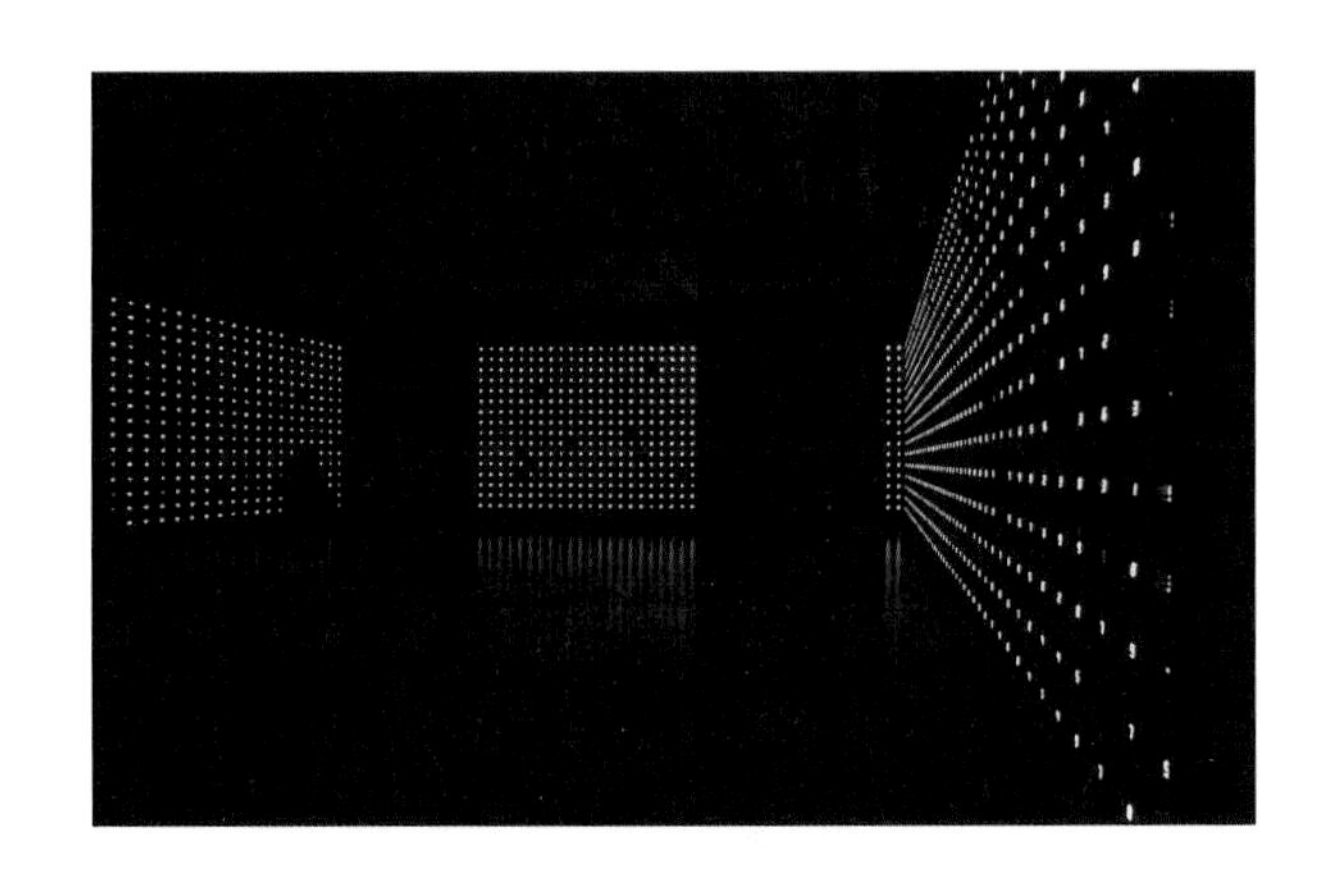

1999年、第48回ヴェネチア・ビエンナーレの日本館における宮島達男《MEGA DEATH》(1999年)の展示風景　撮影：安齊重男　協力：国際交流基金、SCAI THE BATHHOUSE

も、そのときは、うまく言語化できていなかったかもしれない。上司にしてみれば、ほかに例がない人というのは、ただの異端児なんです。

いずれにしても、展覧会を企画したいと思ったらアーティストに電話して話ができるというのは、その後の私の生き方を決定づける貴重な経験になりましたね。いくらピカソが好きだとか、ルソーが好きだとかいっても、当たり前だけど、電話はできないから。宮島さんが日本のアーティストでよかった（笑）。

高橋　Eメールのない時代ですからね。でも、同じ時代を生きているからこそ、その新しさもわかったということですよね。

原田　同じ時代の空気を吸っているアーティストがいるということが、急に自分に迫ってきたんです。そして、そのアーティストがどんなふうになっていくかを自分の目で追いかけられるというのはすごいことだな、と思った。

世界に伝わった強いメッセージ

高橋　世界から見たら、日本はテクノロジー先進国と思われているでしょう？　ＬＥＤのデジタル・カウンターは、そのひとつだったんだと思いますね。しかも、それが仏教思想を表現したというのは、明快かつ斬新だったんでしょう。

原田　ちなみに、それは外国の人たちにも伝わっているのかな？

高橋　伝わっていますよ。数字は万国共通ですから。

原田　私は、普遍的なテーマの作品が好きなんですよね。高橋さんは、宮島さんとも仕事をしているけど、どんな方でしたか？

高橋　宮島さんは、アートが世界の平和にどれぐらい貢献できるかを、とても真剣に考えているアーティストです。いまは後進を育てる教育者でもあります。

原田　《MEGA DEATH》を見ただけでも、すごくわかる。「メガ・デス」というのは大量死、というか大量虐殺。つまり、戦争のことでしょう。

高橋　《MEGA DEATH》は、二千四百個のカウンターの数字がずっと明滅しているわけですけど、それぞれカウントダウンのスピードが違う。だから、つねにあちらこちらに光っていないカウンターがあるし、見た目はずっと移り変わっていくので、星の瞬きのような美しい作品に見えるんですよね。だけど、まるで戦争か何かで大量の命が一瞬のうちに奪われるかのように、突然、真っ暗になるときがあるんですよ。

原田　それは、全部が一気に消えるということ？

高橋　ある瞬間に、すべての電源が落とされて、しばらくしてから、また一個ずつ灯り始めるんです。これも、「再生」ということだと思うんですが。必ずしもその瞬間に立ち会わなくても、その仕組みは想像できるし、想像することで、命や、戦争と平和などについて考えることになる。

原田　かなりショッキング。チカチカしてきれいだなんて思いながら、なんとなく見ていると、パッと真っ暗になって、ハッとさせられる。

高橋　LEDのひとつひとつが人間の命の比喩だとしたら、なにか暴力的な力によって一瞬にして抹殺されてしまうということですよね。

原田　メッセージ性がほんとうに強いね。

作品をつくることだけが、アーティストの役割ではない

高橋　ほかにも、長崎の原爆で被爆した柿の木から種を取って、その苗木を植樹するという「時の蘇生・柿の木プロジェクト」（一九九六年〜）を実施していますね。世界各地の子供たちとワークショップを行って、そこで植樹するんですけど、やはり平和について考える意識がとても高いアーティストですよね。

原田　なるほど。世界規模の大きな思想をもった人ですね。

高橋　だからこそ、アートを見て、アートについて語る余裕があることとか、アーティストが自分の表現を自由にできるということは、平和があってこそ可能なのだという考えももっている。宮島さんは、人間の生と死や、平和についてとか、永遠の命題に取り組んでいる、日本人としては稀有なアーティストなんじゃないかな。

原田　これから先は、どこへ行こうとしているんだろう？

高橋　水戸芸術館[注2]での個展に際して二〇〇八年に実施したワークショップでは、参加者の人体にカウンターをボディ・ペイントしました。数字って、身体のもつ生々しさとは対極にあるものですよね。でも、宮島さんって初期に路上パフォーマンスをやっているから、身体的なことにも関心があるんだと再認識しました。

あと、洗面器に液体を入れておいて、「1、2、3……」と「9」までカウントしたら、「0」のときにがばっとその液体に顔をつけるというビデオ作品がありましたね。

原田　それは、私も見たことがある。

高橋　「カウンター・ヴォイス」というシリーズになっていて、ワインや牛乳など、その土地にゆかりのある液体を入れていることが多いんです。福岡でやったとき、洗面器に何を入れたと思います？

原田　なんだろう？　どぶろく？

高橋　なんと豚骨（とんこつ）スープ。参加者の顔じゅうがべたべたになってた。

原田　やっぱり、宮島さんはユニーク。バランスをとっているというか、ＬＥＤのシリーズは無機質な感じがするけど、身体的なことにもコミットしているということですね。

高橋　両側面があるアーティストなんですよね。しかも、「柿の木プロジェクト」のように柿の木を植樹しても、その木はアーティストの作品ではない。だけど、そのプロジェクトに参加した人の意識を変えるということは、「人間ひとりひとりが社会という彫刻をつくるアーティストだよ」と語ったヨーゼフ・ボイスの影響もあると思うし。実際、一九八四年にボイスが来日したときは東京藝大の学生で、大学生による討論会の組織委員をしているんです。だから、作品をつくることだけがアーティストの役割ではないという意識もあると思います。

原田　アクティビティー全体がアートワークでもあって、社会全体に関わっていくということですね。美大で教鞭（きょうべん）を執（と）っているのも、同じ動機があるんでしょうね。

高橋　教育が人間をつくり、そのひとりひとりが社会を変えていくということでしょう。

注1　ここでのヴェネチア・ビエンナーレは、一八九五年からヴェネチアで開催されている世界最大級の国際美術展のこと。ビエンナーレはイタリア語で、二年に一度、隔年で開催されるという意味で（英語ではバイエニアル）、毎回選出されるディレクターが企画した展覧会と、世界各国がもつパビリオンでの展示で構成される。アートのオリンピックとも称され、現代アートの最前線を知ることができる展覧会として、世界中から多くの美術関係者が訪れる。ちなみにトリエンナーレは三年に一度。

注2　「宮島達男　Art in You」展、二〇〇八年二月十六日～五月十一日、水戸芸術館現代美術ギャラリー。

中年男の哀愁が胸を打つ
ウィリアム・ケントリッジ

ウィリアム・ケントリッジ　William Kentridge
一九五五年、南アフリカ生まれ。母国の社会状況を反映させる作風で、現在もヨハネスブルグを拠点に活動している。とくに黒の木炭と青のパステルで描いたドローイングをコマ撮りしたアニメーションで知られ、オペラや人形劇の監督、演出も手掛ける。二〇〇九〜一〇年、東京国立近代美術館ほか、国内三館で大規模な個展が開催された。

ビデオ・アートが心をつかむとき

原田　ウィリアム・ケントリッジの作品を最初に見たのは、二〇〇一年にニューヨークのニュー・ミュージアム・オブ・コンテンポラリー・アート[注1]で開催された回顧展だったんです。その場を離れられなくなるくらいに引き込まれて、どこかに行く途中で立ち寄っただけだったはずが、電車に乗り遅れちゃった（笑）。

私は、じつは映像作品を見るのがあまり得意ではないんです。ビデオ・アートを見るのは時間を拘束（こうそく）されるから、気持ちに余裕がないとひとつひとつをきちんと見られないでしょう？ビデオ・アートの場合、展示室に入った瞬間の画面の印象が決定的になるということがあると思います。

高橋　作品について何も知らずに見たとしたら、そういうこともあるかもしれませんね。

原田　だから、「なにか引っかかるものがある」と感じないと、最初のシーンを見ただけで素通りしてしまうときがあるんです。

高橋　私は、作品を見せる側としては、せめて二、三分は見てほしいと思っていますけどね。ところで、原田さんがケントリッジに引っかかるものを感じたのは、もともとアニメーションが好きだからなのでは？

原田　たしかにそうなの。しかも、手描きのドローイング[注2]が動いているから、なおさらですね。

高橋　そう、ケントリッジは、木炭とパステルを使って、ひとコマずつ描き直しては撮影するという作業を繰り返して制作しているんです。

原田　消したり付け足したりした痕跡が全部残っているから、手描きのその質感が心に触れてきたということはありますね。もちろん、絵自体も魅力的でしたから。

高橋　日本だと、二〇〇九年から一〇年に大きな個展[注3]があって、三つの美術館を巡回しましたけど、それは見ましたか？

原田　私は、東京国立近代美術館で見ましたよ。そのときは、たくさん展示されていたドローイングがとてもよくて、しかも、映像のディレクション能力というか、平面を動かす感性とテクニックがあることもよくわかった。

高橋　小説家である原田さんがケントリッジの作品に興味をもつというのは、すごくわかる気がします。ケントリッジのアニメーションは、さびしげな音楽と木炭ドローイングだけで構成されていて、セリフも明確な物語もない。「プロジェクションのための9つのドローイング」（一九八九～二〇〇三年）という代表的なシリーズがあるんですが、その主人公はスーツを着た中年男性。

原田　でも、あの男が、けっこう愛すべきキャラなんですよね。

高橋　このシリーズは、ソーホー・エクスタインというやり手の実業家が、ビジネスの難しさに苦悩したり妻が不倫してしまったり、病に倒れたりという葛藤(かっとう)に満ちた人生を送る……というストーリーらしいです。その苦悩に対する親近感というのか、あのキャラだからこその魅力はありますよね。

原田　いつも同じ主人公だけど、彼はアーティスト自身なのかな？

高橋　架空の人物ですけど、風貌(ふうぼう)はケントリッジ自身にも似ているんですよ。だから、自分を投影している部分はあると思います。

アーティストの人生が作品に大きく影響を与える

高橋　ケントリッジは経歴がおもしろくて、若いころは俳優志望。だけど、まずは美大に行って絵を勉強して、油絵の才能がないと挫折して、それから俳優を目指してパリに行ったんだけど、俳優の才能もないって諦めた。そのあとに、「じゃあ、映画をつくろう」とスクリプトを書いたりするんですが、映画は人手が必要だしお金もかかるしということで、また挫折。もう、自分で描いたドローイングでアニメーションをつくれば、ひとりで自分が好きなようにできるじゃないか、というのが結論だった（笑）。最小限のお金で、しかも即興的なアイデアに対しても融通が利くから。

原田　なるほど。ケントリッジの出身は南アフリカでしたね。

高橋　そう。彼が活躍し始めた一九八〇年代の終わりというのは、南アフリカが激動の時代だったころです。国家反逆罪で六四年から獄中にいたネルソン・マンデラが九〇年に釈放され、九四年に大統領になってアパルトヘイトが撤廃されるという歴史的背景が、ケントリッジへの注目度を高めたところはあるでしょう。

原田　アーティストにはそれぞれ、背景になるような社会環境や思想的なバックグラウンドがあると思う。でも、アートの残酷なところは、そうした生い立ちのようなものがうまく表現に展開できるアーティストもいるし、まったく出てこない人もいるところ。ケントリッジが評価された理由には、そうした背景があったということなんですね。

高橋　私は、そういったアーティストの背景は、往々にして作品に反映されるものだと思うんです。池があったとして、私たちから見える水面はごく一部にしかすぎず、その水面が作品だとすると、その下にある底までの深さはどのぐらいなんだろうという感じ。その深さは、アーティストの経験、体験、あとはそれをどれだけ掘り下げて考えることができるかで決まるんじゃないでしょうか。

原田　その深さは、やっぱり出てきますね。だから、評価の高い作品には、表層の部分だけじゃなくて、深層の部分がきちんと滲み出ているということは確実。政治的なメッセージの強い作品になっているのは、そのアーティストにとっては必然なんですね。

高橋　だけど、一方的にアパルトヘイトを断罪するような作品にはなっていなくて、南アフリカの人が背負ってきた悲しみ、人種の分断などをモチーフにして、それを追悼するような感じもしますよね。悲しい話を彼なりに昇華させて、鑑賞者に共感させるような力があるんだと思

木炭とパステルのドローイングによる、ウィリアム・ケントリッジのアニメーション作品《忍耐、肥満、そして老いていくこと》（1991年）の一場面
© William Kentridge

います。

原田　木炭のドローイングというのは、体の痕跡が残っているから、感情に訴える力がある。同じ内容でも、ＣＧだったりしたらぜんぜん違うでしょうね。というか、興味を引かれないかもしれない。

個人のストーリーを超えた含意

高橋　回顧展もあったから、ケントリッジの作品はけっこう見ることができたわけだけど、印象に残るのはなんでしょう。たとえば、「プロジェクションのための９つのドローイング」の中の《忍耐、肥満、そして老いていくこと》かな。

原田　水がどんどん溢れ出てくる作品。

高橋　そうです。夢の中のような妄想のような世界。起承転結があるわけでもない。

原田　夢うつつみたいな映像の中で、世の不条理や、拭いきれない悲しみを感じさせるのは、悪夢っぽいですね。だけど、その悪夢のような展開が、むしろ蠱惑的というか、続きを見たい気持ちにさせる。つねに明確な結論はないんだけれども、印象に残りますね。

高橋　引き込まれて見続けていたのに、いま見たのはなんだったんだろうと思ってしまう。

原田　クエイ兄弟のストップモーション映画「ストリート・オブ・クロコダイル」[注4]を、私は思い出しました。

高橋　個人のストーリーを超えた、もっと大きな含意を感じさせますけどね。

原田　それにしても、主人公がどんどん困難に陥っていくさまを描くというのはなかなか残酷かも。もちろん、誰もが一度は直面するだろうことではありますが（笑）。

高橋　そういう人間のつらさ、悲哀を隠すんじゃなくて、さらけ出しているんですよね。

原田　百年以上前、当時の現代アーティストだった印象派の画家たちは、貧乏や苦労といった、人間関係の汚れた部分を隠していたわけです。作品を美しく見せるためには、そうあるべきだと考えていたみたい。だから私は、そういう知られざるヒューマンドラマを書きたくて、『ジヴェルニーの食卓』を書いたんですね。だけど、いまの現代アートは、むしろ人間の悲しさや醜さを表現しているということはいえると思う。思うに、ケントリッジの登場人物が、イケメンですらっとした白馬の王子様だったら、ぜんぜんおもしろくない。ケントリッジの合わせ鏡のような、中年男性が醸（かも）し出す哀切感がいい。

高橋　それがまた、生きていくうえでの一種のリアリティーなんですよね。

原田　もちろん、理想化した姿を彫刻にしたり絵にしたりしていた時代もかつてあったけど、美術の役割が、あるときから違ってきたということでしょうね。ケントリッジは、実写映画の制作を始めたらおもしろいかもしれない。

高橋　最近、実写の映像も撮り始めていますよ。比較的新しい作品だと、廃墟みたいなところに大きいマルチスクリーンを立てて、何種類かの映像を同時に流すんですね。そして、そこに実際に置いてある楽器から生音が出てきたりして、大がかりな無人のパフォーマンスといった感じになっていました。

原田　舞台のような感じなのかな。でも、人は出てこないんですか？

高橋　そこに人はいないけれども、実写映像では、自分が演じていたりしていますよ。

原田　ぜひ、見てみたいね。それって、俳優になりたかった若いころの夢を叶えたことになるのかも。

注1　ニュー・ミュージアム・オブ・コンテンポラリー・アートは、一九七七年に開館したニューヨークの美術館。現代アートを専門にしている。

注2　ドローイングは、主に線画や素描のことで、絵具で色を塗るペインティングに対して用いる絵画の分類。かつて、ドローイングは、ペインティング制作を前提とした下書き（デッサン）という意味合いが強かったが、現在はドローイングもそれ自体が作品と考えられている。

注3　「ウィリアム・ケントリッジ：歩きながら歴史を考える　そしてドローイングは動き始めた……」展、二〇一〇年一月二日～二月十四日、東京国立近代美術館。〇九年、京都国立近代美術館に、一〇年、広島市現代美術館に巡回。

注4　クエイ兄弟（ブラザーズ・クエイ）は、スティーブンとティモシーという一九四七年生まれの一卵性双生児による、アメリカの二人組映像作家。「ストリート・オブ・クロコダイル」（一九八六年）、「ピアノ・チューナー・オブ・アースクェイク」（二〇〇六年）など。

自然を観察する深い眼差し
オラファー・エリアソン

オラファー・エリアソン Olafur Eliasson
一九六七年、デンマーク生まれ。現在はベルリン在住のアイスランド人。光や風、波などの自然現象をモチーフにした作品を、建築物、野外といった空間に合わせて展示し、新しい知覚体験や認識をもたらす。九九年のヴェネチア・ビエンナーレ出品以降、各国の展覧会に参加し、二〇〇九年には金沢21世紀美術館でも個展が開かれた。

自然現象を扱いながらスタイリッシュ

原田 私はオラファー・エリアソンがずっと好きなんですけど、なぜかといえば、初めて作品を見たときから、「手法が変わっている。目のつけどころが新しい」と思ったからなんです。一九九八年のシドニー・ビエンナーレの作品と記憶しているけど、霧(きり)を発生させる作品でした。

自然現象をアートとしてインスタレーションに取り入れるというのが、エリアソンの特徴のひとつですよね。目の前にある装置が、霧や虹、風などを発生させて、また、光もじょうずに使っているから、美しい。

高橋　二〇〇九年に金沢21世紀美術館で開催された個展[注1]では、多くの作品を見ることができました。でも、オラファー・エリアソンの作品を説明するのは、根っからの文系の私たちには難しいですね。自然科学の知識も乏(とぼ)しいし……。

原田　そうかもしれない。作品を見てほしい、体験してほしいと純粋に思うというか……。

私は、ブシュブシュッと霧が湧(わ)き上がってくるような作品を見たとき、最初はアート作品だと思わなかったんです。屋外にあったからなんですけど、噴水とかガーデン・デザインの一種みたいだけれど、それにしてはおもしろいなと思った。だけど、よく見ると、すごくスマートというかスタイリッシュというか、感性に訴えるようなものを感じたんです。

高橋　自然現象を人工装置で再現している、というよりも、視覚的な強さがやはり作品の魅力ですよね。

原田　たしかに、「人工の滝をつくって、水を流しながらストロボの光を当てることで、虹を発生させる作品です」と説明しても、どこか陳腐(ちんぷ)に聞こえかねない。だけど、屋外であれ、美術館の展示室内であれ、きれいなこと、このうえない。

その最たるものというか、エリアソンの作品の中でもとくに知名度が高いと思いますけど、ロンドンのテート・モダンで発表したインスタレーション《ウェザー・プロジェクト》（二〇〇三年）はすばらしかった。
高橋　原田さん、見たんですか？
原田　見ましたよ。でも、そのときは、もう言葉がないという感じでしたね。なんともいいようがない。
高橋　私は写真でしか知らないんですけど、ほんとうに夕日が美術館の中に出現したように見えたんですか？
原田　そうです。もう、「これは夕日だ」としかいえない。テート・モダンは、入り口から入ると、下りのスロープになっているでしょ？　その高いところから入っていくと、向こう側の吹き抜けに、夕日が輝いているわけですよ。
　その見せ方も効果的で、狙っているのはわかるし、夕日そのものも、あまりにもみごと。だけど、どうやってつくっているのかしらと不思議に思いました。
高橋　素材や光の反射について綿密に研究したんでしょうね。一見すると、単純に見えるだろうけど、絶対にそんなことはない。
原田　色も形も、夕日そのもの。しかも、見ているうちに、なぜかうるっときたりもするんですよ。すごく眩（まぶ）しい夕日だったり、沈んでいく瞬間の夕日だったり、同じ夕日といっても、色

テート・モダン（ロンドン）で展示された、オラファー・エリアソン《ウェザー・プロジェクト》（2003年） Photo: Andrew Dunkley & Marcus Leith

も違うし、光り方も違うでしょう？　そういう意味でも、ほんとうに「いい感じ」の夕日なんですよ。だから、たそがれたくなる（笑）。

そして、いつまでも沈まない夕日というのは、なんだか怖いように思えたりもするんですけどね。もちろん、そんなことは関係なく見ている人も多かったとは思いますけど。寝転がったりしながら、長居する人もけっこういたと思う。自然現象を扱うおもしろさもあるけど、その意味では、劇場性を持ち込んだともいえるかもしれない。

制作の裏には地道な観察がある

高橋　オラファー・エリアソンは、その夕日の作品のように大仕掛けを施した作品の印象が強いですが、私が彼を「いいアーティストだな」と思ったきっかけは、スイスの美術館で見た写真作品。いろいろな場所の河川を、俯瞰で撮影した作品だったんです。

原田　虹や霧といった作品が好きな人にしたら、ちょっとびっくりするかもしれないですね。

高橋　エリアソンの制作の裏には、すごく地道な観察があるんだろうと思いました。

原田　派手な作品をつくる前に、積み上げている感じ？

高橋　虹を発生させるにしても、滝をつくるにしても、技術さえわかれば解決するかもしれないけど、それでは装置以上のものにならない。今日の自然環境ができるまでの時間の堆積(たいせき)を関心をもって見つめてきている。そういうことが、なんてことなさそうな写真の連作からわかったときに、心が動かされました。自然環境と同じように、目に見える作品の背後には目に見えない長い時間の営みがある。

原田　環境問題に興味があるのだろう、エコロジー意識が高いのだろうということが作品から伝わってくるというのは、裏付けがあってのことなんだね。

たしかに、森をはじめ、自然を観察する眼差しがあって、地道な研究や調査をしながら、そのうえで大掛かりなインスタレーションをつくり上げているというのは、納得できますね。ケントリッジについて話したとき、高橋さんは、アート作品を池の表面にたとえたでしょう？　深層の部分に見えにくい積み重ねがあって、表層に表れた部分がアートをつくるという話は、ここにも通じているという気がする。

後進を育てるために

高橋　それに、エリアソンは二〇〇九年から一四年まで、ベルリン芸術大学に空間実験研究所を設立したんです。自然現象を扱うなら、芸術の枠(わく)だけに関心がとどまっていては無理ですよね。

原田　自然環境の中でアートをつくるというのは、オラファー・エリアソンが初めてとはいえないわけですけど、エリアソンのアプローチは、一九七〇年代に隆盛したランド・アート[注2]、アース・ワーク[注3]ともまた違う。

《スパイラル・ジェッティ》（一九七〇年）で、湖に渦巻き状の盛り土をしたロバート・スミッソン[注4]がいました。アメリカの砂漠に四百本ものポールを立てて、そのポールに雷が落ちるさまを鑑賞させる《ライトニング・フィールド》（一九七七年）のウォルター・デ・マリア[注5]もいた。ほかにもランド・アートの有名アーティストはいますが、エリアソンとはぜんぜん違いますよね。

高橋　ちょっと話を戻してしまいますけれども、彼のアーティストとしての評価を作品だけで判断してはいけないと思うんです。リサーチを重視している部分と、研究所を設立した部分は、もっと注目されていいと思います。

研究所で後進の育成をするということは、エリアソンが前世代から引き継いだアートの遺伝子を、さらに誰かに受け渡し、発展させていくということを考えているからかもしれません。現実世界の生態系、環境や資源と人間がどう共生し続けるか。そこでのアーティストの役割とは何か。こうしたスケールの大きな思考が、オラファー・エリアソンをすぐれたアーティストたらしめている所以じゃないかと。

原田　アーティストのことを考えるとき、作品だけがすべてを語っているわけではない、とくに現代アートは、背後の思想や活動をも同時に見るべきだ、というのは賛成です。

じっさい、二十世紀のアートは、アーティストの結論として、モノとしての作品があるという考え方に抗ってきた歴史だったとも思う。言葉をアートにしたり、社会に対するアクティビティーをアートにしたり。二十一世紀は、さらに広がっていて、ひとりのアーティストがインパクトのあるビジュアル・アートを発表しながら、社会的なメッセージを発したりしているという状況がありますから。エリアソンの学校も、アートとしてのアクティビティーということですね。

高橋　最近、「アート・ワーク」ではなく、「アーティスティック・プラクティス」という言葉がよく使われています。「作品」ではなく、「実践」ということです。いまや、アーティストを語るとき、作品についてだけでなく、社会の中で実践している活動を含めて評価されるようになりました。芸術という分野にとどまらず、地球に生きる生物としてのアーティストが何を成し遂げることができるのかと考えると、アーティストは、科学者ともっとコラボレーションできることがあるような気がします。

注1 「オラファー・エリアソン　あなたが出会うとき」展、二〇〇九年十一月二十一日〜一〇年三月二十二日、金沢21世紀美術館。

注2 ランド・アートは、自然にある岩や土、木、金属などを使って、自然の中に設置する作品。アート作品を展示室や美術館から解放して、よりスケールの大きな作品を目指した。

注3 アース・ワークは、ランド・アートのなかでもとくにスケールの大きな作品を指すことが多い。

注4 ロバート・スミッソン（一九三八〜一九七三年）は、アメリカのアーティスト。ランド・アートの創始者であり、《スパイラル・ジェッティ》（一九七〇年）は、その金字塔的作品。自然環境や自然の法則と美術作品とをつなぐ独自の理論から作品制作や執筆を行ったが、三十五歳で事故死した。「ノンサイト」シリーズ（一九六八年〜）など。

注5 ウォルター・デ・マリア（一九三五〜二〇一三年）は、ランド・アートを代表するアメリカのアーティスト。パフォーマンス、音楽の分野でも活躍した。直島の地中美術館には、差し込む自然光によって印象の変わるインスタレーションが常設されている。

聖域にすら切り込む挑発的な確信犯

ハンス・ハーケ

ハンス・ハーケ Hans Haacke
一九三六年、ドイツ生まれ。五〇年代末から活動を始め、六五年にニューヨークへ移住。芸術と社会の関係性に着眼した、政治性の強い過激な作品で知られる。九三年のヴェネチア・ビエンナーレでは、ナムジュン・パイクとともにドイツ代表として金獅子賞を受賞。各国で大きな個展を開催してきた、コンセプチュアル・アートの代表的存在。

ビジュアルのインパクトが強いメッセージを与える

原田 ハンス・ハーケは作品ごとにイメージが全部違うから、どの作品から話せばいいか難しいアーティストですね。

高橋 まずは、《ゲルマニア》でしょうか？

原田 そうですね。ハーケの《ゲルマニア》は、私が初めてヴェネチア・ビエンナーレに行ったときの作品でした。一九九三年のことで、そのときの金獅子(きんじし)賞をもらっているから、代表作といえますね。

何がすごいかというと、ハーケはドイツ人だし、東西ドイツが統一された三年後だったから、何をいいたい作品なのか、誰もがコンマ一秒で理解できるんですよ。だから、ほんとうに強いメッセージだったし、ビジュアル的にもインパクトがあったし。

ドイツ館の床を、全部ぶち壊した。ただそれだけ。すると、ベルリンの壁が頭をよぎるわけです。そして、入り口から見て突き当たりに「GERMANIA」と書いてある。もう、ほかの作品を忘れてしまうくらい、この作品は強烈だった。

ハーケのほかの作品は、どれが彼の真の姿なのかわからなくなるほど、展覧会やインスタレーションでがらっと変わってしまうんだけどね。

高橋　私が覚えているものでは、ある絵画作品のいまの所有者が誰で、その絵が歴代、いくらで取引されてきたかという経緯を調べた作品がありました。

たとえば、ある有名個人コレクションの絵を取り上げて、そこの美術館に入るまで、どういう人の手を経て、どう売り買いされて……という歴史を調べていくと、それぞれの時代で所有していた人がどういう社会的地位にあり、その会社がどのように当時の政治と絡み合っていたかがわかってくるんです。だから、絵そのものの価値というより、絵の動産としての側面に焦点を当てた作品ですよね。

原田　かなり切り込んでいますね。

1993年、第45回ヴェネチア・ビエンナーレのドイツ館におけるハンス・ハーケ《ゲルマニア》（1993年）の展示風景
Photo: Roman Mensing
© Hans Haacke / VG Bild-Kunst, Bonn & JASPAR, Tokyo　C3215
Courtesy of the artist and Paula Cooper Gallery, New York

高橋　ほかにも、美術と政治、あるいは美術と経済とか、美術と社会の関係性に言及する作品が多い。

原田　ハーケは、ランド・アート、バイオ・アート[注1]、コンセプチュアル・アートっていうようなジャンル分けの難しい作品も多いでしょう。時代によっても変わるし。後年は政治的なメッセージの作品が多くて、それは七〇年代以降というか、ベトナム戦争あたりも関係しているのかもしれない。音楽で政治的なメッセージを歌うロックやフォークが出てきたのと、時期的にも近い。

高橋　それでいったら、ＭｏＭＡで来館者に、ロックフェラー[注2]財団とニクソンがベトナム戦争について関与することをどう思うかという投票をさせた、一九七〇年の作品もありますね。

原田　それをロックフェラーが許したというのは、けっこうすごい。

高橋　美術館は美術を見るだけの場所という思い込みに対して、現実の社会で起きている政治的な問題を持ち込んだっていうのは、革新的だったんだと思う。

原田　美術館はある意味で聖域だから、政治の問題を扱うアートなんておかしいという考え方はあったでしょうね。

高橋　とても挑発的だったと思います。

原田　ハーケは、現代アートと呼ばれる範疇(はんちゅう)の中で、アートの可能性をさらに広げる挑戦をしたんですよね。ビジュアルで見て美しいというだけじゃなく、どういうメッセージをもっているか、どういうメッセージを発信したいのかを問題視した、という点で。それ以降、ポリティカルなメッセージが、現代アートにとってひとつの大きなテーマになってきたと思う。ハーケの《ゲルマニア》が強烈だったのは、ぱっと見た瞬間に、ハッとするような美しいビジュアルがあって、しかも、当時のドイツが抱えている問題に関するメッセージを発信していることがわかったから。アートの枠を広げたって感じがすごくしたんです。

政治性ということでいえば、それを受け止められるか受け止められないかは千差万別だと思うけど、現代アートの可能性の一方向なんじゃないかな。

高橋　でも、ハーケにしてもいつもうまくいくわけじゃなくて、グッゲンハイム美術館の展覧会で、ある富豪(ふごう)の長年の不動産売買を調べ上げて作品にしたら、その富豪がグッゲンハイムと密接な関係にあるために、六週間前になって個展がキャンセルされたりしている。

原田　かなり挑発的。

高橋　ピカソの《帽子をかぶった男》をタバコの広告みたいに描いたという作品も問題作です。MoMAで開催されたキュビスムの展覧会のスポンサーに大手のタバコ会社があって、それに対する批判だったんだって。

原田　何も恐れていない感じがする。それでも彼がアート界から干されないということは、それがアートの力だと認めている人もいるということですね。

高橋　ハーケは、美術というものが、美術館という守られた場所で、現実社会とまったく関係ないように展示されることを批判しているんですね。現実社会の政治やお金の動きや、人の欲、権力者の存在が、美術とも分かちがたく結びついているんだと主張しているわけで、その鋭い視点、ぶれない行動が評価されているんだと思います。

原田　アートは現実と乖離しているものじゃなくて、我々と地続きなんだと。

高橋　まあ、それにしても、グッゲンハイムみたいな有名で大きい美術館の展覧会をキャンセルされちゃうって、アーティスト生命に影響すると思うはずでしょ？

原田　普通は避けて通るはず。やっぱり、その覚悟が半端じゃない。でも、私は、それも織り込み済みだったような気がする。キャンセルされるところまでが、アート・ワークだったんじゃないかと。

高橋　そう。確信犯的なね。

「わからない」といってシャッターを下ろさない

高橋　それを考えると、一方で《ゲルマニア》は、ドイツ代表として出品しているわけで、自国の負の歴史を自覚して、その歴史批判を許したドイツはすごいと思う。普通なら各国のパビリオンは自国のタブーを扱わない。恐るべし、ハンス・ハーケ。

原田　ピカソの《ゲルニカ》にも通じる批評性がある。もっと評価されていいはずだけど。

高橋　美術の制度批判が強く出ると、美術に興味がない人は……。

原田　門外漢(もんがいかん)になってしまう。

高橋　美術を支えているシステムを知らない人には、ちょっと難しいかもしれないですね。内容がわかれば、挑発的な確信犯というところがおもしろくなるとは思うけど。

原田　やっぱり、こういうアーティストがいるということが、「現代アートの世界も悪くない」と思わせてくれる。批判を恐れずに実行するという態度が、現代アートのひとつの在り方として刺激があるし。

　ハーケもそうだけど、いわゆるコンセプチュアル・アートというのは、アート好きの人にとっても少しハードルが高いという事実はあるかもしれないよね。

高橋　私が企画した展覧会でも、アンケートを読むと、「わからない」という感想がけっこうあるんですよ。でも、精神論みたいな感じになってしまうんですけど、「わからない」といって、そこでシャッターを下ろさないということは大事だと思うんですね。いまだったら、パソコンでちょっと調べればなんでも出てくるし、作品を見ながら「わからない」と思ったら、そこで諦めずに、監視員や学芸員に聞いてもいいと思います。

原田　展覧会の場合は、企画した人がその作品を選んだ理由があるはずだからね。

高橋　もちろん、美術館や学芸員の側も、専門家だけじゃなく、もっと一般の人にわかるような解説を書いたり、説明する努力はしなくてはいけないな、と自戒を込めて思います。

原田　なにかヒントを手に入れた途端、作品のことがすごくよくわかって、「すばらしい」とか「いい作品だ」と思えたというのは、よくあること。この対談のおかげで、私も、ハンス・ハーケの作品にますます興味が湧いてきたから。

注1　バイオ・アートは、生物学や医学、脳科学などにおける新しいバイオ・テクノロジーを応用して制作される美術表現。生物そのものや細胞組織を使うことが多いが、その定義は容易ではない。

注2　ロックフェラー財団は、ニューヨークに本部を置く世界最大の慈善事業団体。さまざまな科学、芸術の活動に対して、助成、寄付を行っている。

常識は疑ってかかれ

高嶺格（たかみねただす）

高嶺格　Takamine Tadasu
一九六八年、鹿児島生まれ。京都市立芸術大学卒業、IAMAS（岐阜）修了。インスタレーション、ビデオ、メディア・アート、パフォーマンス、演劇など、多様な表現手段を用いて、現代社会をユーモアとともに風刺する作品を発表。障碍者の性、在日外国人、電力問題などを扱い、鑑賞者に問題提起する。国内外での個展も多数開催。秋田公立美術大学教授。

廃材を使った意味とは

高橋　私は美術館に所属するキュレーターだから、どういうアーティストとどんな展覧会を企画するのかという視点も含め、アーティストを紹介しようと思います。たとえば、個展を企画した高嶺格さんです。

原田　水戸芸術館で「高嶺格のクールジャパン」[注1]という個展をやったアーティストですね。原発問題を取り上げた展覧会でした。

高橋　「高嶺格のクールジャパン」は二〇一二年十二月から始まった個展でした。高嶺さんの作品はそれ以前からずっと注目していました。私にとっていちばん大事な仕事は、まずは作品を見続けるということ。

高嶺さんの場合は、二〇〇四年、水戸芸術館の「Living Together is Easy」[注2]というグループ展で初めていっしょに仕事をしました。キュレーターは、現在は横浜美術館で館長をしている逢坂恵理子（おうさかえりこ）さん。作品タイトルは《A Big Blow-job》です。もともとは「大きなフェラチオ」という挑発的なタイトルだったんだけど、いろいろあって英語になった。作品の内容はといえば、コモンセンス、つまり、常識とは何かを問うような映像インスタレーションだったんです。

原田　「Living Together is Easy」展は見ましたよ。高嶺さんは、土だらけのインスタレーションの作品を出品していました。

高橋　アーティストは、アート作品をつくるわけです。画家は絵を描くし、彫刻家は彫刻をつくる。だけど、世の中にこんなにモノが溢れている時代に、お金をかけて新たにモノをつくることに、どれだけの意味があるのか。高嶺さんは、そのことをいつも真剣に考えています。《A Big Blow-job》も、自分の作品制作で無駄なゴミを増やしたくないという思いがありました。

そのときは、展示室の床に土を持ち込んで敷いて、ほかの素材も全部、廃材を使ったんで

2012年、水戸芸術館現代美術ギャラリーで開催された、高嶺格の個展「高嶺格のクールジャパン」の《敗訴の部屋》展示風景　撮影：細川葉子　写真提供：水戸芸術館現代美術センター

す。材料のほとんどは、解体されるという水戸の古いデパートからいろいろと貰い受けた廃材です。

原田　展示室に土が敷き詰められているのは、異様な感じでおもしろかった。

高橋　そして、美学者の吉岡洋[注3]さんの「新・共通感覚論」のテキストが、床を覆い尽くしている土に彫りつけられているという作品なんですね。

廃材だらけの真っ暗な展示室で、彫りつけられた文字をずっと光線が辿っていくようなインスタレーションなんだけど、その空間に入ると、この世の終わりみたいな感覚になるんです。イラク戦争が始まった翌年の展覧会だったこともあって、常識や正義について考えさせられる作品でした。

原田　展覧会も高嶺さんの作品も、テーマ性が高くていい展示だった。

高橋　いまの紛争は、宗教や政治、経済などの違いから、互いの正義を主張し合うような構図で始まるじゃないですか。原田さんにとっての正義と私にとっての正義は、当然違うだろうし、国や民族だったら、なおさらでしょう？　そういったボタンの掛け違えのようなことを、再考させられる作品でしたね。

原田　まっさらな素材からではなくて、栄枯盛衰のような歴史が蓄積されている廃材でつくったというのもおもしろい。

でも、そのころは、アート・マーケットで、日本のアーティストの作品も高値で取引されつつあったよね？

高橋　当時、アートに関わる人たちのあいだで、「アート・マーケットで勝たなきゃいけない」という風潮があったのは、たしかです。そのとき、東京から水戸へ移ったばかりだった私は、アート界のプチバブルみたいな現象に食傷していたので、高嶺さんの作品を見たときに「人間が生きていく根幹に関わるようなことに向かい合っているアーティストがいる」と感じて、すごく救われたんです。

高嶺さんのような、正義や常識といった、人を拘束する制度に疑いをもとうというアーティストがいるなら、私は現代アートの仕事を続けたいと思いました。そして、大きな命題を扱うアーティストは、作品に自分の全人格や生き方をぶつけるわけで、そういう人を応援していきたい。

高嶺さんには「スーパーキャパシタ」[注4]という展覧会もありました。スーパーキャパシタというのは、短時間で大量の電気を貯められるという、日本の最先端技術を使った蓄電器なんですね。電気を貯めておけるから、電気をつくる量を減らすことが可能になる。だけど、電力問題に関わる政治的な駆け引きのせいで、あまり使われていなかった。だから、どうしても単価が高くなってしまうんです。

高嶺さんはそこに目をつけて、展示に使えば、少なくとも彼に興味のある人の関心を引くことができるだろうと、展覧会というきっかけを使ってスーパーキャパシタの存在を人々に伝えたんです。二〇〇八年なので、東日本大震災よりもずっと前ですよ。

原田 高嶺さんに「個展をやりましょう」と声をかけたのは、いつ？

高橋 震災後ですね。高嶺さんは、社会の抱える問題を、アーティストとして世の中に問うということを真摯(しんし)に考えている。だから、震災のあと、いまこそ、彼と一緒にアートの可能性を探りたいと思ったんです。

社会と向き合う覚悟をもった強いメッセージ性

原田 「クールジャパン」展のときは、最初から、原発問題に触れようと思っていたの？

高橋 触れざるを得ないですよね。だから、原発に関わるいろんな立場の人から話を聞きました。日本に原発ができて以降、原発設立に反対の市民運動はほぼ全部、最高裁で敗訴していることもわかったし、地元での受け入れられ方も理解した。そういうリサーチがあって、原子力や核が私たちの生活とどのように関わっているかを見せる展覧会になったわけです。

原田　私は、「クールジャパン」展を見て、高嶺さんはメッセージがすごく明確な人だなと感じました。入場してすぐの第一室から、「私たちは原発事故の当事者なんだ」というメッセージが明確だったし、それが全体の構成にも貫かれていた。震災や原発事故に対して、あの時点であそこまで如実（にょじつ）に表現した展覧会はなかったはず。

高橋　震災や原発事故によって私たちは、世界から「あなたはどうしますか」という大きな問いかけをもらったんですよ。アンケートでは、「低俗な政治のことを美術に持ち込むな」なんていう批判があったり、展覧会は賛否両論でしたが、その答えのひとつではあったと思います。すでにハンス・ハーケの話をしたけれども、高嶺さんも、自分をさらけ出して社会と向き合う覚悟のある人ですね。

原田　何をいおうとしているかというメッセージは伝わってくるけど、「これがアートなの？」と思った観客はいるでしょうね。美しいものを展示しているわけではないし、美術は神聖で、俗世とは関係なくあってほしいという思いもわからなくはない。だからこそ、「アートとしてどうなのか」というハードルの高いことをやっている、襟（えり）を正したアーティストが私は好きだし、「クールジャパン」展は重要だったなと思う。

あのころ、表現者たちはすごく戸惑(とまど)って、いち早く表現した人もいるし、なかなか表現できずにいた人、時間が経ってから表現した人もいた。でも、美術の側から発言しようとして、展覧会を実現させた高嶺さんは偉い。

高橋　これをいっちゃいけない、あれをやっちゃいけないという、同調圧力は感じました。自己規制をしたくもなる。でも、風評被害を拡大するようなことは絶対にしないとか、脱原発派と原発賛成派の分断を深めないようにしようとか、かなり議論を深めてつくった展覧会でした。

原田　私は東日本大震災のあと、福島の美術館などを取材して、「中断された展覧会の記憶」[注5]という短編小説を書いたんです。ＭｏＭＡが、原発事故を理由にして、福島県立美術館に貸し出したアンドリュー・ワイエス[注6]の作品を引き上げるという話。もちろん、架空の話だったんだけど、同じようなことが現実になった。ある展覧会で福島に巡回するはずだったベン・シャーン[注7]の作品を、ＭｏＭＡが引き上げるという事態が起こったんですね。偶然、私は、予言するような小説を書いてしまったことになりました。

その後、福島県立美術館に招かれたことがあって、美術館の方々から「小説で残してもらって、ありがたかった」といっていただいたんです。じつは、小説を書いたとき、それこそ風評被害みたいなことで傷つく人がいるかもしれないと不安だったんです。だけど、ネガティブなことほど風化させたがるのが人間だし、風化させてはいけない部分もあるんですよ。小説という表現は、美術館の人たちにはない手法です。書いてよかったのかという迷いのなかにいた私は、溜飲（りゅういん）を下げたというか、ほんとうにほっとしましたね。

高嶺さんも、表現者として腹をくくってやったんだと思いました。展覧会は実現までに時間がかかるし、その間に風化してしまうこともあるじゃない？　私の小説は震災後一年足らずで発表したけど、一年半を過ぎてから行った展覧会は意味が違うし、生々しすぎないことも含めて、日本人にとっていいタイミングだったと思う。高嶺さんに感謝しなければ。

注1　「高嶺格のクールジャパン」展、二〇一二年十二月二十二日～一三年二月十七日、水戸芸術館現代美術ギャラリー。

注2　「Living Together is Easy」展、二〇〇四年一月二十四日～三月二十八日、水戸芸術館現代美術ギャラリー。ヴィクトリア州立美術館（メルボルン）に巡回。

注3　吉岡洋（一九五六年～）は、京都大学こころの未来研究センター特定教授。専門は、美学・芸術学、情報文化論。『〈思想〉の現在形――複雑系・電脳空間・アフォーダンス』などの著書のほか、訳書も多数。

注4　高嶺格「スーパーキャパシタ」展、二〇〇八年七月十二日～九月六日、アラタニウラノ（東京）。上記の展覧会をさらに発展させ、「高嶺格　スーパーキャパシターズ」展（二〇一〇年一月二十四日～三月三十一日、丸亀市猪熊弦一郎現代美術館）も開催されている。

注5　原田マハ「中断された展覧会の記憶」（「オール讀物」二〇一一年十二月号）。『モダン』（二〇一八年、文春文庫）に収録。

注6　アンドリュー・ワイエス（一九一七～二〇〇九年）は、写実的な技法で知られるアメリカの画家。《クリスティーナの世界》（一九四八年）など。

注7　ベン・シャーン（一八九八～一九六九年）は、現在のリトアニア出身、アメリカの画家。戦争や迫害、貧困などをモチーフに、絵画、線画、ポスターなどを手掛けた。五四年に被曝した第五福竜丸がテーマのシリーズもある。

女性という存在の複雑さ
シンディ・シャーマン

シンディ・シャーマン　Cindy Sherman
一九五四年、アメリカ生まれ。自らを被写体とした写真のシリーズを、二十代から次々と発表。B級映画の登場人物、おとぎ話の怪物、女ピエロ、ルネサンス絵画の肖像などに扮し、「見る／見られる」という関係性を問う。映画「オフィスキラー」（一九九七年）の監督も手掛けた。写真表現を現代アートとして本格的に根づかせたひとり。

女性がどのように見られているかを考えさせられる

原田　シンディ・シャーマンは、ずっと注目しているアーティストです。苦手な部分もありつつ、いつもつい、見てしまう。私は二十代のころから好きだったから、かれこれ……、それはいいか（笑）。

高橋　初めて彼女の作品を見たのは、どこだったんですか？

原田　私がアート好きな学生だった若かりしころですよ。「あたし、現代アートとか興味あるし」みたいな感じのスカした学生だったときに、シンディ・シャーマンの写真集を見たんです。一九七〇年代後半から始まった「アンタイトルド・フィルム・スティル」シリーズだから、モノクロ写真なんですけど、「かっこいい」と思ったんですね。架空の女優に扮して、架空の映画のワンシーンのように撮るというシリーズで、自分を被写体にしているのもおもしろかったし、私は五〇年代、六〇年代の古典的な映画が好きだったから、そのムードをよく伝えていて、単純に憧れた。ニューヨークの乾いた空気のなかで彼女自身が演じている映画のワンシーンのような設定が、すごくかっこよくて、二十一歳の私の胸をズキューンと撃ち抜いたというわけです。当時のバイトが時給五百円だったんだけど、必死にお金を貯めて、けっこう高い写真集を買いました。

高橋　シャーマンは、現代アーティストとしては日本でもよく知られているし、一九九六年には、東京都現代美術館で大きな個展[注1]が開催されていますね。そして、フェミニズムの文脈でも重要なアーティストです。

原田　でも、当時、私のまわりの友達は、「シンディ・シャーマンの作品が……」といっても誰も知らなかったから、ひとりで悦に入ってました（笑）。そういうわけでずっと好きだったから、その後の作品も見てきました。

高橋　シャーマンの作品はシリーズごとに、がらりと変わる印象はありますが、自分を被写体にしているのは一貫していますね。

原田　最初は女優かファッション・モデルのような写真でしたけど、童話の怪物に扮した写真だったり、廃棄物にまみれた恐ろしげな写真だったり、だんだんえぐい感じの作品をつくり始めた。

高橋　シャーマンが映画の登場人物に扮した「アンタイトルド・フィルム・スティル」シリーズは、見た目は洒脱（しゃだつ）なモノクロ写真だけど、映画のヒロイン、つまり女性の「役割」に対して、人々の眼差しはどのような期待をしているか、ということを暴露（ばくろ）する作品でした。眼差しの期待に応えるようなポーズ、コスチューム、仕草を彼女自身が演じることによって、人々が映画のヒロインに抱くファンタジーを顕在（けんざい）化してみせたんです。映画や写真といったイメージのなかで女性はつねに見られ、描かれ、表象される存在だということを再認識させました。

原田　男女の違いはあるけど、[注2]森村泰昌（もりむらやすまさ）さんもセルフ・ポートレートで作品をつくっていますよね。森村さんは女優を演じたり、歴史上の人物になりきったりしていて、ヨーロッパの、いわゆる古典的な肖像画をモチーフにした作品もある。その点では共通している。でも、森村さんの作品には、どこかに「お笑い」という要素が入っているけどね。

MoMAで見た新作

原田　高橋さんとは、二〇一二年に、MoMAで展覧会を一緒に見ましたね。

高橋　これまでの作品を一挙に展示していた回顧展だったので、見応えがありました。

原田　そのとき、私たちは、なぜだか間違えて、出口のほうから入場してしまった（笑）。

高橋　そうでしたね。展覧会は、古い作品から徐々に現在に近づいてきて、最後に新作を見せるという趣旨だったはず。なのに、新しい作品から古い作品へと、時代を遡るような順番で作品を見ることになりました。

原田　だけど、私にとっては、それがおもしろかったの。逆に衝撃を受けたというか、知っているほうから順番に見るのではなく、いきなり最新作でしたからね。それが、「金持ち」シリーズみたいなものだったでしょ？

高橋　その新作の被写体もシャーマン本人だけど、金満マダムに変身したというのはびっくりしましたね。原田さんも私も、「これ、おもしろい！」ってうなずき合った。

原田　なにしろ、姿格好から金持ちなのはわかるんだけど、ほんとうに全員が醜い。醜さが滲み出るように、撮っている。あれは、ある種の批判があってのことなんでしょうね。

映画の一場面のような設定で自ら被写体になった連作から、シンディ・シャーマン《アンタイトルド・フィルム・スティル #10》（1978年）
© Cindy Sherman
Courtesy of the artist and Metro Pictures, New York

高橋　整形や豊胸手術にお金をかけた、アンチエイジングに必死なマダムの肖像は圧巻でしたね。

原田　お金があって、整形もいくらでもできて、どんなブランド品でも手に入って、いくつになっても女王様気分のマダムたちっているわけです。当然、アート界にもそういう女性は多いから、それを美術館で、しかもＭｏＭＡというセレブが集まる美術館で展示するというのは、痛烈な批判だと思います。シャーマンがロールプレイしたモデルが、絶対にいると思う。もしかしたら、アート・コレクターかもしれない。アーティストとコレクターの関係だったら、多少は美化したり、よいしょしたりしていいところなのに、その醜さを生々しくさらけ出しているんだよね。むしろ、醜さを強調しているとさえいえると思う。唇を真っ赤に塗ったり、深い皺(しわ)をつくり込んだりしていたけど、作品を見たコレクターのマダムたちは、じっさいのところ、どういう反応をしたんだろうか？

高橋　その展覧会を見たときに私が覚えているのは、原田さんが「ＭｏＭＡのオープニング・レセプションには、リアルにああいうマダムがいっぱい集まるんだよ」っていったことです。

原田　それはＭｏＭＡに限ったことではなく、アート界ではセレブなマダムが大事なんです。だから、シンディ・シャーマンは、そういった現実世界を大げさにあぶり出して、アート作品として昇華させている存在なんだと思う。女性のアーティストだからできたことかもしれない。同じように男性が作品を発表したら、きっと非難される。

高橋　見られる側の当事者ですからね。その構造を転倒させた意味は大きいです。

原田　ほかのシリーズについて考えてみても、なかには男性に扮している作品もあるけど、たいていの女性は美しくない。ということは、最初のシリーズは、期待される女性的な美を、わざとらしくステレオタイプ的に演出して見せる作品だったわけですね。それが、だんだん醜さや汚さが強調されていくと、私たち女性から見ても、おぞましさを感じるようになる。

高橋　私は、シャーマン自身、批判の範囲を拡張したんだと思います。初期は、男性中心的な眼差しの在り方に対しての批判。だけど、その後、女性に対しても批判的になったんだと思う。いつまでも美しくありたいとか、人にうらやましがられたいとか、そういう誰にでもある欲望や承認欲求がどこから来ているのか、という普遍的な問いを突きつけているような気がします。

原田　女性の業（ごう）を肥大化させて見せつけて、その醜さを告発したんですね。覚悟を決めた女性アーティストのすごみを感じます。

注1　「シンディ・シャーマン展」、一九九六年十月二十六日～十二月十五日、東京都現代美術館。同年、滋賀県立近代美術館、丸亀市猪熊弦一郎現代美術館から巡回。

注2　森村泰昌（一九五一年～）は、大阪生まれの現代美術家。自ら著名人や絵画の登場人物に扮するセルフ・ポートレートの手法で、写真作品や映像作品を制作する。現代アートをやさしく語る著書も多い。ヨコハマトリエンナーレ2014の芸術監督も務めた。

自分の存在のはかなさ
内藤礼

内藤礼　Naito Rei
一九六一年、広島生まれ。武蔵野美術大学卒業。小さな立体を用いたり、光や空気、水などを取り込んだりして、静謐なインスタレーションを制作する。九七年のヴェネチア・ビエンナーレ日本館のほか、国内外で個展多数。瀬戸内海の豊島（てしま）に建つ豊島美術館（二〇一〇年開館）に、空間と一体化した《母型》が常設展示されている。

ささやかであるがゆえに感じること

高橋　私は、内藤礼さんの作品が大好きなんです。

原田　内藤さんは、ほんとうにいい。ヴェネチア・ビエンナーレで日本館の展示アーティストに選ばれたのは一九九七年で、そのときの展示もすばらしかった。

高橋　二〇一三年に豊田市美術館で、「反重力」展[注1]という「宇宙的な視点をもってみよう」という趣旨の展覧会を見たんです。私たちの生活のなかで重力は、抗えない大きな制約になっているけど、そこから跳躍するような感覚を覚えさせる作品を展示したグループ展でした。

その「反重力」展で内藤さんが展示した《母型》という作品は、真っ白くて広い空間に、透明感のあるビーズが白い糸に通され、吊されているものです。ビーズはすごく小さいから、かなり近づかないと見えないんです。白い天井や壁、光に紛れて、すぐに消えちゃう。それと、部屋の真ん中に木でできた小さな人形と、薄い紙が置いてあるんです。そこに小っちゃい、虫メガネで見ないと読めないような字で「おいで」って書いてある。

原田　ちょっと、ぞっとするような……。

高橋　そんなことありません。むしろ逆に、どこか優しい感じ。最小限のものしかないのに、ものすごく広がりを見せる作品で、私はびっくりしたんです。

以前から内藤さんは、たくさんのものを使って制作するアーティストではないでしょ？　水がしたたり落ちる様子を見せるとか、表面張力で水面が膨らんでいるガラスのコップだけを見せるとか、リボン状の紐をひさしから垂らして風にたなびいている様子を見せるとかね。「これだけですか？」という感じなんだけれども、それだけで確実に自分の環境が違って見えてくるという、じつは大技のアーティストなんですよ。内藤さんの作品と出会ったあとは、それまでと世界が違って見えてくるんです。

原田　一瞬、現実を忘れるような感覚ですね。内藤さんの作品の特徴は、ミニマル（最小限）だけど、緊張感と同時に広がりがある。

高橋　《母型》を見たときは、「宇宙の中に太陽系があって、太陽系の中に地球があって、地球の中のこの国にいる私」といった、自分の存在のはかなさと同時に、自分の存在が発生するまでの長い長い生態系の歴史を、意識させられたんです。

原田　内藤さんの作品には、作品にじっくりと向き合わせて、没入させるような力がありますよね。

高橋　同じ二〇一三年[注2]に広島県立美術館では、原爆で溶けてしまったガラスを使って、その横に木彫りの小さな人形が置いてあるだけという作品、《タマ／アニマ（わたしに息を吹きかけてください）》も見ました。

原田　その小さな人形は、何を意味しているんだろう？

高橋　人だったり精霊だったり、魂かもしれないけれども、寄坐（よりまし）のような存在にも思えました。厳（おごそ）かな気持ちになりましたね。

原田　私が初めて内藤さんの作品を見たのは、まだいまのように有名ではないころ、フランクフルトでだったと思う。教会の回廊の一部を真っ暗にして、光がふっと灯るような繊細な作品でした。そのとき、偶然、内藤さんがそこにいらしたんですよ。「すごく感動しました」と伝えたら、丁寧におじぎをされて、「ギャラリーのようなところでなく、特殊な場所でこそインスタレーションをしたい」といっていたんです。素敵な方だと思いましたし、それからずっと気になるアーティストだった。

高橋 常設展示ということでは、注3直島(なおしま)の家プロジェクトに《このことを》という内藤作品がありますよ。予約制ですけどね。

原田 残念ながら直島の作品は見ていないけど、どの作品も、よい意味で、女性ならではの繊細さが表れていると思う。意識しているかどうかは、わからない。だけど、シンディ・シャーマンの逆向きというか、女性性の露出とは違う意味で。とても密(ひそ)やかな感じがいいね。

高橋 観客を受け入れてくれるんですよ。優しく包み込むというか、抱擁することで、敵の戦意を失わせるような……。

形はないが見えるという感覚

高橋 あれだけモノを削(そ)ぎ落とした展示というのは、ほんとうに難しいし、すごくきびしい制作だと思うんですよね。

原田 ストイックで、究極まで抑制されているからこそ、美しさもあるし。

高橋 だから、私も、展示を見る前に禊(みそ)ぎをしなければいけないような気持ちになる。

2013年に広島県立美術館で発表された、内藤礼《タマ／アニマ（わたしに息を吹きかけてください）》（部分） 撮影：畠山直哉
Courtesy of Taka Ishii Gallery

原田　邪念があるとダメだという感覚は、私もわかる。内藤さんの作品は、神道や禅は関係あるのかしら？　なんというか、内藤さんのインスタレーションには、「結界」という言葉が合っている気がする。

たとえば、山に入って大きな岩に注連縄が張られていたりすると、そこから先は神の居場所だ、聖なる場所なんだということが、なんの説明もなくても我々日本人にはわかるでしょう？　そういう結界をつくっているような感じ。

高橋　そうですね。作品の中にいると、その空間が清められているのがわかる。実体的な形というものは、ほとんどないんですけどね。

原田　「形がないけど、見える。感じる。考えさせられる」という感覚は、現代アーティストのなかでも、内藤さん独特のものだと思う。

高橋　アートの究極のかたちというか、ほかにいないタイプのアーティストですね。

原田　先ほど、結界という話をしたのは、西洋人には見えないけど、日本人の目には見えているという感じを表しているのかな、とも思ったからなのだけど。

高橋　日本人というよりも、太古の人はどこの国でも、精霊と話したり、見えないものを見たりということができていたんだと思う。不可視の存在と語り合わなければ、生きていけなかったと思うんですよ。その能力が失われている現代において、「でも、かつては精霊と話していたでしょ?」ということを想起させられる。私たちは何を喪失したのかという、内省を促すアーティストですよね。

原田　高橋さんにとっても、内藤さんは、いつか展覧会をやりたいウィッシュ・リストに入っているという感じなの?

高橋　そのためには、もっともっと精進しないと。

原田　でも、最近の作品の説明を聞いて、私はもっと見たいと思った。展覧会があるなら、足を運びたい。直島の家プロジェクトも、今度見に行きたいな、と。

高橋　そうですね。展覧会に行き、直接に作品を見ることがとても大切だということを、ほんとうに実感させられるアーティストなんです。

話は少し飛躍するけど、展覧会に行くことが日常の選択肢のひとつになってほしいし、内藤さんのような作品は、写真を見ても、どんなに説明されても、そのすばらしさが伝わりきらない。そこが、すごく大事だと思う。そして、読者の方には、現代アートは、新しい世界への入り口になることをお約束します。

原田　知らない世界を見るわけだから、わからないから見ないといわず、知らないことを知りたいというチャレンジで、現代アートのドアをノックしてほしいですね。

注1　「反重力――浮遊―時空旅行―パラレル・ワールド」展、二〇一三年九月十四日～十二月二十四日、豊田市美術館。
注2　「〈アート・アーチ・ひろしま２０１３〉ピース・ミーツ・アート！」展、二〇一三年七月二十日～十月十四日、広島県立美術館。
注3　瀬戸内海の直島、豊島、犬島という三つの島では、ベネッセアートサイト直島という名称で数々のアート活動が展開されている。そのひとつである直島の家プロジェクトは、空き家などをアーティストが改修して作品化。本章登場の宮島達男、内藤礼、大竹伸朗のほか、ジェームズ・タレル、杉本博司なども手掛けた。

ビデオ・アートだからこそできる復活と再生
ビル・ヴィオラ

ビル・ヴィオラ Bill Viola
一九五一年、アメリカ生まれ。七〇年代初めからビデオ作品の制作を始め、つねに新しい映像技術を活用してきたビデオ・アートの第一人者。生と死を主要テーマにした、超スローな画面や複数の映像によるインスタレーションで知られる。各国の主要美術館で個展を行い、九五年のヴェネチア・ビエンナーレではアメリカ代表を務めた。

日本文化から受けた影響

原田 二〇〇六年に森美術館で個展[注1]「はつゆめ」を開いたビル・ヴィオラについて、話しましょうか。

私はビデオ・アートが苦手だといいましたが、ビル・ヴィオラの近作は、スチル（静止画）に近いビデオなんですね。動きがすごくゆっくりで、スーパー・スローモーションゆえに印象をつかみやすい作品といえると思う。彼は最初、いろいろと実験的な作品をつくっているんだけど、私が初めて見たのがスーパー・スローモーションの作品で、強く印象に残りました。

高橋 ヴィオラは、一九八〇年代には、すでにビデオ・アートの第一人者になっていたわけですよね。

原田　七二年から発表を始めている先駆者ともいえるし、じっさい、ナム・ジュン・パイク[注2]のアシスタント時代もあるから、パイクの影響を直接に受けていると思う。

ともかく、一九九五年のヴェネチア・ビエンナーレのアメリカ館代表だったときの作品には衝撃を受けた。

高橋　どんな作品だったんですか？

原田　いくつものスクリーンが重層的にかかっていて、映像がそれぞれに動いているんだけど、スクリーン自体も揺らめいているから、インスタレーションとして秀逸（しゅういつ）で、すごくきれいだったの。

高橋　映像を使った、しかも複雑なインスタレーションを言葉で伝えるのは、すごく難しい。それはわかります。

原田　そう、だからこそ、アートならではの体験でもあるわけなんだけど。言い訳じゃなくて（笑）。ほかにも、すごく痛々しい作品をよく覚えていますね。目にメスを入れる映像で、女の子が暗い廊下にすーっと立っているシーンが、パッとスーパーインポーズする。「もう、やめて！　怖い！」と叫びたくなるほど、その印象は強烈に残っている。

高橋　それはたぶん、実験性の強かった時代の作品ですよね。

原田　そうですね。その後、どこかで作風ががらりと変わったということになりますね。

そういえば、彼はアメリカ人だけど、日本の文化からすごく影響を受けているんですよ。若いころ、バックパッカー旅行で日本に来たり、サンフランシスコで出会った日本人から禅の精神や神道について教わったり。それで、彼の本格的なデビュー作の《はつゆめ》（一九八一年）は日本語の語りで、深い精神性のある静かな作品だった。

その後、九〇年代から二〇〇〇年代に移ると、映像の最新技術を使いつつ、生と死、精神性の深さを感じさせる作品をつくるようになった。私は、そういうところに感銘を受けました。

高橋　宗教的なモチーフは多いですね。欧米のアーティストにはめずらしいことではないけど。

原田　あとは水とか火とか……。

高橋　四大元素みたいなことですよね。

原田　そういうものに対する畏敬の念を、映像に取り込む。そして、ものすごく画質のいいプロジェクターを使って、巨大なスクリーンに投影する。それが、ほかの表現ではけっして得られないような体験になるわけですよ。

ビデオ・アートの特徴は時間を操作できること

高橋　最近、「はつゆめ」の展覧会カタログをあらためて見てみたんです。大量の水がバーッと出てきて、人々がなぎ倒されるんだけど、そのなかからまた立ち上がるという作品《ラフト／漂流》(二〇〇四年)がありますよね。「いま、この作品を見たら、どういうふうに感じるかな?」と思いました。いまの私たちは、津波の恐ろしさを、たとえ経験していなくても映像では知っているわけです。いまとなっては、すごく示唆(しさ)的な作品に思えてきます。さまざまな人種や男女がバランスよく出てくるあたりは、アメリカ人のヴィオラらしいと思いましたけど。「私たちは、宇宙船地球号の乗組員です」みたいなね。

原田　たしかに、ヴィオラの作品には、水をかけるだけとか、水の中を落ちていくだけとか、単純な行為を扱っているものが多い。《ミレニアムの5天使》(二〇〇一年)という作品は、水の中にザバーンと人が落ちてきて、浮かび上がるというだけの映像だけど、水泡がちらちらしていて、流れ星のようにも見えるポエティックな作品で、すごくいい。

高橋　ヴィオラの「喜怒哀楽」シリーズは、ゆっくりと表情が変わっていく様子を映しているだけでしたね。プロの役者らしいですけど、その表情の複雑さがじわーっと伝わってくる。自

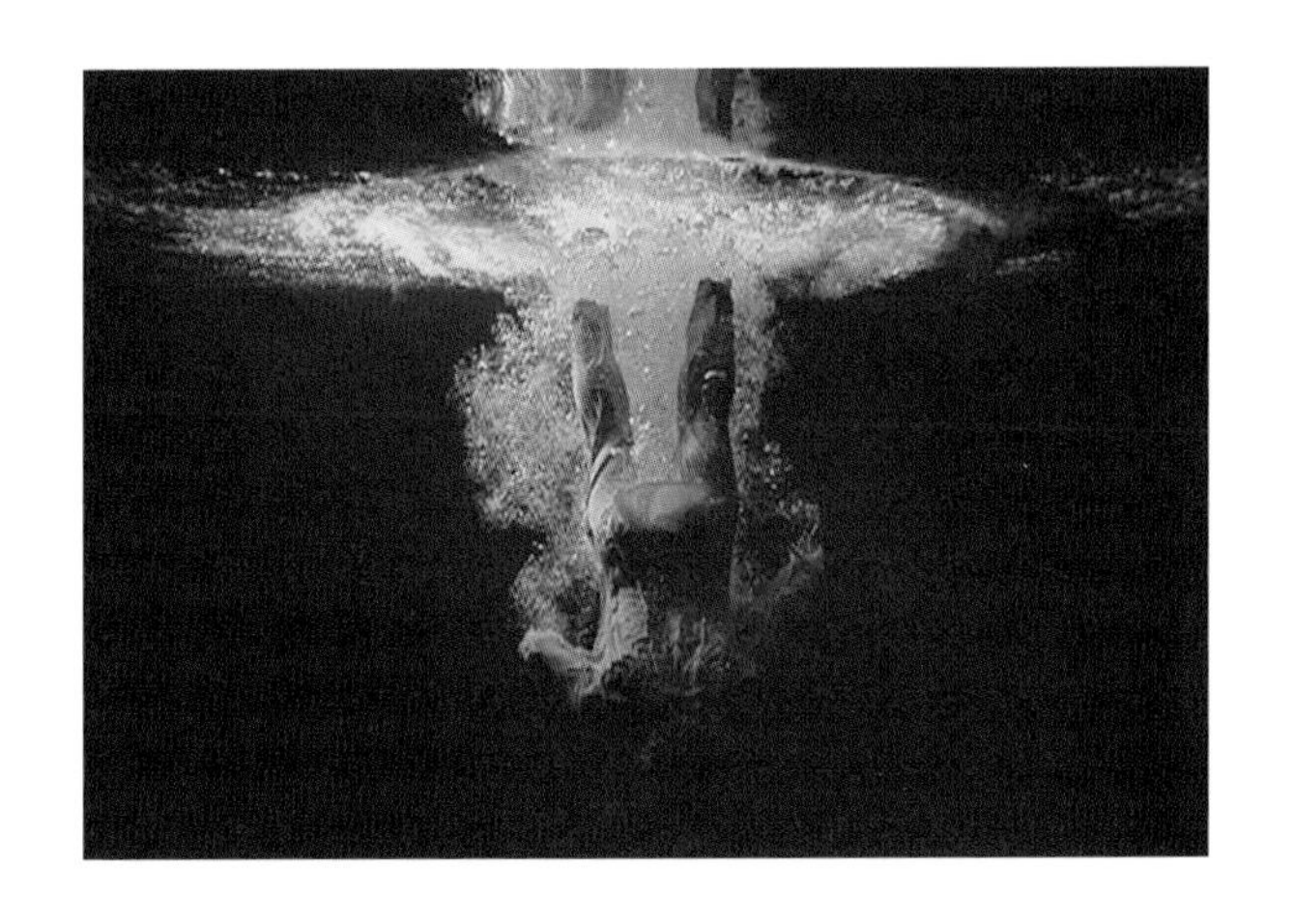

ビル・ヴィオラによるビデオ・サウンド・インスタレーション《ミレニアムの5天使》(2001年)の一場面。一室の中で5面のプロジェクションが同時進行する作品
Photo: Kira Perov　© Bill Viola Studio

然現象にせよ、人間の表情にせよ、複雑さのなかの普遍性を追求している人なのかな。

原田 それは私も感じる。つまり、自然の中にある水や火、男女、人種、喜怒哀楽なんていうのは、どこにでも同じように存在するものでしょう？ それをビデオでただ撮ったところで、アート・ワークにはならない。だけど、ビデオ・アーティストとして、美しい映像に仕上げるということには、まったく妥協（だきょう）がない。

高橋 聖書や古典文学を参照する手法も、普遍性につながるかもしれないですね。読み継がれる古典には、やっぱり、現代に通じる物語のエッセンスがあるんですよね。

原田 人が水をかけられたり火に包まれたりする作品には、「再生」というテーマがあるんじゃないかな。

高橋 それもあると思います。ビデオ・アートは時間を操作できる芸術だから、その意味で相性はいいんじゃないでしょうか。映像作品はループするので、生まれてから死ぬまでの一直線の時間軸と、それがまた繰り返されるという再生の感覚は、無意識に感じているんでしょうね。

日本人に見えてアメリカ人に見えないもの

原田　ヴィオラが自分のなかでキリスト教と仏教をどう捉えているかはわからないけど、思想的により深く傾倒しているのは禅の世界だと思う。無音の世界で突然に何かが起こり、それを受け止めて、また再生させていくというのは、禅のスピリットに通じるところがある。

高橋　その話から、私がいま連想したのは、キリスト教の「受難（パッション）」ですね。受難は「難を受ける」わけだから、禅の「存在をあるがままに受け入れる」こととあまり変わらないのかなという気がしますね。

原田　ヴィオラの作品は、最終的にネガティブではないことも重要。たとえば、仮に悲劇に見舞われても、そこから復活するという感じ。人間の力を信じているアーティストの、強いメッセージが伝わってきます。

高橋　すごくゆっくりしたスピードで見せること、シンプルなセットで見せること、人種の多様性を見せること。これらがあいまって、いま、ここにいる自分までの、人間が経てきたプロセスに思いを馳(は)せるように促している。

原田　だから、最後に立ち上がるのが重要になってくる。

高橋　ビル・ヴィオラは、実験性とか物語の構築というより、ビデオ・アートの可能性を、テクノロジーも含めて広げてくれた人なんだと思います。

原田　ちょっと余談ですが、私はキュレーター時代に彼と新幹線に乗って、隣同士に座って名古屋まで行ったことがあって、そのとき、興味深い会話をしたんですよ。

まず、「日本人の眼差しに憧れている」と前置きして、「君は目の前にあるこの座席を見たとき、どこを見ている？」と訊かれた。それで私が「え？　座席シートの背もたれがあるけど……」といったら、「それはものすごくアメリカ的な見方だ。君たち日本人は、このシートとシートのあいだに間があるっていいませんか？」というんだよね。

たしかに、二つのシートのあいだには数センチの隙間があるけど、日本人ならそれが見えて、アメリカ人には見えていない。要するに、アメリカ人はポジティブしか見ないっていうわけ。

高橋　それはおもしろいですね。その隙間が「無」ということでしょ？　隙間が「ある」という見方ができるかできないか。

原田　そう。しかも、「僕は、修行のおかげで、間が見えるようになった」と（笑）。そう思うと、彼の作品はポジティブとネガティブの組み合わせなんです。

高橋　なるほど。陰と陽の組み合わせだと考えると納得します。

原田　だけど、間の感覚って、なんともいいがたい絶妙さがあるでしょう？

高橋　鴨川（かもがわ）の川辺に座っているカップルが、等間隔（とうかんかく）で並んでいるという感じ？

原田　そうそう。アメリカ人にはカップルしか見えてないんだけど、日本人にはあの空間が見えている。いや、これは完全に余談でしたね（笑）。

注1　「ビル・ヴィオラ：はつゆめ」展、二〇〇六年十月十四日〜〇七年一月八日、森美術館（東京）。

注2　ナム・ジュン・パイク（白南準。一九三二〜二〇〇六年）は、韓国系アメリカ人のビデオ・アーティスト。現在のソウルに生まれ、東京大学を卒業。ドイツで音楽を学び、六〇年代のフルクサス（１９４頁注釈参照）で中心人物となる。テレビ・モニターを組み合わせたパフォーマンスやインスタレーションを発表し、ビデオ・アートの父と称された。

鑑賞者の行動も作品の一部
フェリックス・ゴンザレス＝トレス

フェリックス・ゴンザレス＝トレス
Felix Gonzalez-Torres
一九五七年、キューバ生まれ。ニューヨークでアートを学び、活動を開始。アート作品の一部を鑑賞者が持ち帰る、その姿が鑑賞者によって変化するという、それまでの作品の在り方に抗う斬新な試みを案出し、展示の美しさと含意の深さで、決定的な評価を得た。九六年、HIVの合併症で没す。死後も各国で大規模な回顧展が開かれている。

キャンディをおひとつどうぞ

原田　フェリックス・ゴンザレス＝トレスは、ほんとうに重要なアーティストですね。一九九六年に三十八歳という若さで亡くなっていますが、鑑賞者にコミットさせるアートという意味では、ゴンザレス＝トレスよりうまいアーティストはいないんじゃないかな。ほんとうに自然に、作品に鑑賞者を引き寄せるという感じですから。

高橋　しかもわざとらしい感じが一切ないですね。

原田　そうですね。私が初めて作品を見たのはＭｏＭＡで、キャンディを床に敷き詰めていた作品でした。この体験は、忘れられないですね。

高橋　《「無題」（偽薬）》（一九九一年）ですね。偽薬、もとの英語でいえば「プラシーボ」です。

原田　この作品はキャンディが床にたくさん置いてあって、そばに「Please take one.」と書いてあるんだけど、「おひとつどうぞ」といわれても、最初は「なんだかあやしいぞ」と思ったんですよ。何かのトリックじゃないかと思ってしまった。

現代アートには、どこまでがアートなのかわかりにくいものもあるじゃないですか。周りの人を見ても、このインフォメーションは逆説的に捉えるべきなのかな、と戸惑っている雰囲気があった。振る舞いを試されているという感じですよ。

高橋　じつは、キャンディを取ったら、監視員に怒られるというシステムじゃないかと疑うわけですね。

原田　普通は、どこの美術館に行っても、作品に触っちゃいけないというのは基本中の基本。触ってはいけないどころか、近づいてもいけないという概念があるでしょう？　その概念に対する挑戦だな、と。

高橋　しかも、持って帰ってくださいとまでいうとは、とんでもない話だと。

原田　だけど、やっぱり最初は子供が取っていくんですよ。それで二個、三個と取ろうとしたら、監視員が「一個にしてくれ」って（笑）。だから、「あ、やっぱりいいんだ」と思った。

高橋　同じように、ポスターというか、大判の印刷物を一枚ずつ持ち帰らせる作品シリーズも有名ですよね。

原田　作品に込められたほんとうのメッセージは別にあるんだろうけど、タブーと思われてきた行為を鑑賞者に促すという意味では、すごく新しい仕掛けだと思いました。

いままでは、触ってください、乗ってください、持って帰ってくださいというタイプの作品はたくさんある。だけど、その道を先駆けて切り開いたアーティストのひとりが、ゴンザレス＝トレスというわけです。

高橋　「贈与」のプレゼンテーションですよね。もしくは、持ち帰ったりシェアしたりすることで、全体が完成するという作品。でも、それだけじゃなくて、繊細な美しさが印象に残るから、ゴンザレス＝トレスの作品はアートだといえるんだと思います。《「無題」（偽薬）》にしても、キャンディの包み紙は銀色という指定があって、その包み紙が光を反射してきらきらと美しいんですよ。

語らずしてさみしさを伝えてくる

原田　ポスターのシリーズも、きっちりときれいに積んであって美しい。鑑賞者に対してアク

2000年、サーペンタイン・ギャラリー（ロンドン）でのフェリックス・ゴンザレス＝トレス個展（キュレーション：リサ・G・コリン）より、3作品が展示された一室。
床の作品――《「無題」（偽薬）》（1991年）、右奥の作品――《「無題」（血液検査の31日間）》（1991年）、左の作品――《「無題」（ラヴァーボーイ）》（1989年）
Photo: Stephen White

ションを促す作品でありながら、ミニマリズム[注1]的な美しいインスタレーションであることが、とても重要。

高橋　声高に何かを主張するというのとは、ちょっと違うんですよね。

原田　大声で伝えているわけではないけれど、詩的なものを感じますね。

電球を使ったインスタレーションも有名ですよね。たくさんの電球と、それをつなぐための電線だけなのに、すごくきれいな作品で引き込まれる。電球は持っていっちゃいけないんですけど（笑）。

高橋　電球なんて、いってみれば日用品。それを単につなげて、電線を絡ませて滝みたいに上から吊したり、カーテンのようにバッと広げて見せたり。でも、見慣れた電球であっても、ゴンザレス＝トレスの手にかかると、私も見入ってしまいますね。これは、時間が経てば、ひとつずつ命が消えていくという象徴で、展覧会の途中で電球が切れても、そのまま展示を続けるという作品だったと思います。

原田　そういえば、多くの写真作品もつくっている。

高橋　彼は恋人を九一年に亡くしていて、そのあとに、自宅のベッドを撮影した写真がありますね。ニューヨーク市内の二十四カ所のビルボードに、枕が二つ並んだベッドという、すごくプライベートな空間を掲示したんです。写真自体は九一年の作品で、そのビルボードのプロジェクトは、ＭｏＭＡの展覧会に関連して九二年に行われました。

自分の私生活をパブリックな場所でさらすという行為だったわけだけど、ビルボードというのは本来、社会的なメッセージや広告のような、不特定多数の人に何かを伝えるための空間じゃないですか。そこにものすごくミニマルな、最もプライベートな部分を、言葉もないままに展示したということですよね。

だけど、言葉も出ないようなさみしさとか、喪失感が伝わってきますよね。しかも、誰だってベッドに寝ているわけで、見る人それぞれが、ベッドにまつわる自分なりの物語を当てはめることも可能になる。

原田　街なかで見た人は、「これ、なんだろう？」って調べたかもしれない。九二年ということは、インターネットで調べるというわけにはいかないだろうから、街行く人がどんなメッセージを受け取ったのかは気になるところですね。

でも、彼の作品は、どれも説明過多じゃないところがいい。ビジュアル・アートの場合、いろいろと言葉を尽くして説明されると、かえって見えづらくなることもあるでしょう？　わかりやすいことも、アートが一般の人たちに受け入れられる重要なファクターのひとつではあるけど、無口だからこそ伝わってくるというのが、ビジュアル・アートの強みだと思うから。

悲しみを分かち合う作品

高橋 日本でゴンザレス＝トレスの作品をまとめて見ることはなかなか難しいけど、水戸芸術館でもキャンディの作品を展示したことがあったそうです。九七年のことです。

原田 その場合は、どうやって借りてくるの？

高橋 そのときは、中身のキャンディは指定がないけど、指示書によって銀紙が指定されていたと聞きました。どこで展示しても、見た目を同じにするために。

原田 所定の大きさのスクエアの中に、キャンディを敷き詰めるという指示があるわけね。

高橋 別の作品なんですけど、同じようにキャンディを展示室に置くインスタレーションでは、亡くなった恋人の体重と同じ重さに設定されているという作品もあるそうです。観客によって、その体重がどんどん減っていく。

原田 なるほど。それは、かなりコンセプチュアル。

高橋 いわば、肉体の分与ですよね。

原田 ほんとうにうまくつくっていますね。恋人を亡くした喪失感を、自分のアート作品という究極のエゴイズムのなかで提示しているわけでしょ？　だけど、そのコンセプトは、聞かなければわからない。私だって、いま知ったぐらいだから。

高橋　親しい誰かを亡くしたとき、友人と共有することで、その喪失感が慰（なぐさ）められるということってありますよね。その作品では、恋人の肉体がいろいろな人にシェアされることによって、悲しみが昇華されるのかもしれない。

原田　悲しみを分かち合う作品……。やっぱり、究極のエゴイズム作品といえるかも。

高橋　だけど、そういうふうに見えないんですよね。

原田　沈黙している分、すごく美しい。そして、深く知ることで、ますますいい作品だと感じ入る。観客を欺（あざむ）いたりトリックを仕掛けるわけでもないし、じつはピュアな気持ちだったんだと思うと、いっそう胸に沁（し）みますね。

注1　美術におけるミニマリズムは、単純で最小限の色や形による表現を目指した、彫刻や絵画の動向。抽象表現の流れを汲み、コンセプチュアル・アートと親和しながら、一九六〇年代に隆盛した。カール・アンドレ、ソル・ルウィットなど。

何万点もの作品を生み出す内面の奔流(ほんりゅう)

大竹伸朗(おおたけしんろう)

大竹伸朗　Ohtake Shinro
一九五五年、東京生まれ。武蔵野美術大学卒業。海外との同時代感覚を備えた絵画で、八〇年代から高く評価される。ほかにもコラージュ、写真、立体、音楽など制作ジャンルは幅広く、二〇〇六年の「全景」展（東京都現代美術館）では二千点を展示した。海外の大きな国際展にも参加多数。エッセーなど著書も多い。一九八八年より愛媛県在住。

強烈な表現力をもってつくられるコラージュ

高橋　原田さんとは長い付き合いですが、大竹伸朗さんの作品が好きだというのは、初めて聞きました。

原田　そうなの？　私は、大竹さんに対して、いつもすごいと思っていました。ほんとうに、昔から好きです。

高橋　昔からというと、いつからですか？

原田　一九八七年に、注1佐賀町(さがちょう)エキジビット・スペースでの個展を見たころからですね。それは衝撃的な展覧会だったんです。

大竹さんは、いろいろな表現を横断するようにして制作してきていますが、私は、つねにフェティッシュな感覚があるところが好きですね。その展覧会より前に、印刷物や写真など、いろいろなものを収集してコラージュするという表現を見ていたんですけど、すごく強烈な表現力をもった人だと感じていました。

そのころは、昭和が終わりつつあると同時に、バブル経済の始まりのころでもあって、そんな時代に、昭和歌謡的というか、スナック的なものというか、すごく異質な感じがありましたね。

高橋　大竹さんは、ノイズ音楽のミュージシャンとしてレコードやCDを発表されていますが、演歌や歌謡曲に対する関心が作品にも表れていますよね。

原田　でも、ノスタルジックやレトロというのとはまた違う、過去から現代、そして人類が滅んだあとの未来までを予感させるような、時間を超越するような印象があります。

そしてなにより、ペインティングが圧倒的です。二十世紀の後半、現代アートの主要な表現がペインティングから離れていったじゃない？　その反動で、アメリカのニュー・ペインティングなど、各国で絵画の復活が起こりました。そんななか、日本で登場したのが、大竹伸朗さんだった。巨大なオブジェをつくったり、スクラップブックも有名だったりするけど、どんな表現をしても、時間を超越しているような作品の印象は、私が大竹さんの作品を八〇年代に見たときから変わっていません。

高橋　断片的に作品を見てはいましたが、恥ずかしながら、二〇〇六年の東京都現代美術館での個展[注2]「全景　1955—2006」を見て、私は、大竹さんのほんとうのすごさについてやっとわかったと思います。あの個展は、大竹さんの実力を広く海外にまで知らしめた重要な展覧会でした。

原田　展示された作品は、約二千点だそうです。それだけでも驚きましたよ。

高橋　アーティストの活動の蓄積を、浴びるような感覚で体感できた展覧会でしたね。数えきれないほどの量の大竹さんのペインティングに四方を囲まれる、という体験もすごかったけれど、私がとくに圧倒されたのは、スクラップブックのシリーズ。

原田　スクラップブックはもとの本の種類も多様だし、あれこれと雑多に貼り込まれて、さらに絵の具で塗ってあって、すごくおもしろい。二〇一三年のヴェネチア・ビエンナーレに出品されていたのも見ましたよね。

高橋　ヴェネチア・ビエンナーレでは六十六冊のスクラップブックが特注の展示ケースを使って展示されていました。大竹さんが日々の営みのなかでとにかく貼り続けた、日記でもあり、

ヨコハマトリエンナーレ2014で新港ピア（横浜）に展示された、大竹伸朗《網膜屋／記憶濾過小屋》（2014年） 撮影：岡野圭

生の証しでもあるスクラップブック。二十代前半から制作が始まったそうですから、何十年も継続している事実にも驚かされます。既存のイメージを組み合わせて制作するコラージュは、とりわけ画面の構成力が勝負になる表現ですが、貼る、という行為を継続している、そのパフォーマンスに注目したいです。

原田 あれを簡単にできると思ったら、大間違い。絶対にできない。

高橋 ピカソやラウシェンバーグ[注3]をはじめ、いろいろなアーティストがコラージュを手掛けていますけど、大竹さんのコラージュはこうした先人に比肩するものだと思います。そして、そのコラージュを平面から建築のスケールまで拡張した、直島の家プロジェクトの作品「はいしゃ」(二〇〇六年)は傑作です。ほんとうは《舌上夢/ボッコン覗》というタイトルをつけられているんですけれども。

そこにあるのは土着性とスピード感

原田 もともと歯科医院だった空き家を使って、家をまるごとインスタレーションにしたという、大胆な作品ですね。直島では、ついに銭湯までつくったし。私は行ってきましたよ。

高橋 《直島銭湯「I♥湯」》(二〇〇九年)ですね。これも建物まるごと、大竹さんの作品。

原田　こうなったら、鑑賞者は参加せざるを得ない。入浴料を払って、作品の中に裸になって入っていくなんて、滅茶苦茶ですよね。これだけ聞くと、なんとも俗な感じもするだろうけど、下世話になりすぎない。キッチュを突きつめたおもしろさがあって、ほんとうに楽しかった。

思うに、一種独特な日本の雑多な文化というか、琴線に触れてくる感じが絶妙なんですよね。

高橋　バナキュラー（vernacular）なんだと思います。直訳すると、「その土地固有のもの」となりますが、土着性といってもいいかもしれない。その土着性とは、日本にかぎらず、どの地域でもグローバル化していく過程で排除されるイメージをすくい上げることで表出されてくるものです。

原田　土着性というのは、よくわかりますね。「第3のドア」で選んだアーティストは、どちらかといえば静謐な感じというか、あまり語りすぎないアーティストが多い。でも、大竹さんの作品からは、雑多なノイズやイメージが、奔流のように押し寄せてくるのを感じる。もう、そこから逃れられないほどに圧倒されるんです。

高橋　加えて、大竹さんの作品の魅力は、日々の観察や発見で獲得したイメージを即座に表出していくスピード感にもあると思うんです。東京、北海道、ロンドン、アフリカ、そして現在生活の拠点としている宇和島。大竹さんが暮らした場所での時間や経験が、それまでの大竹さんの生きてきた時間と重ね合わされて、コラージュや絵画として表出される。作品ひとつの中に複雑な時間軸が存在しているから、イメージに込められた情報量と密度がとても濃厚で、どれだけ見ても見尽くすことができない強度を備えています。

原田 展覧会のことを「エキジビション」というけど、そもそもはさらけ出すという意味だから、大竹さんは「全景」展でそれをまさに体現したんですね。

注1 佐賀町エキジビット・スペースは、一九八三年、江東区佐賀町にオープンした非営利のアート・スペース。古い雑居ビルにある広い一室を展示空間として、二〇〇〇年にクローズするまで、若手の現代アーティストを次々と紹介した。

注2 「大竹伸朗 全景1955—2006」展、二〇〇六年十月十四日〜十二月二十四日、東京都現代美術館。

注3 ロバート・ラウシェンバーグ（一九二五〜二〇〇八年）は、アメリカのアーティスト。五〇年代半ばから、抽象絵画の上に街で拾った既製品を貼りつける作風を始め、コンバイン・ペインティングと呼ばれた。《ベッド》（一九五五年）など。

社会活動そのものが芸術
ヨーゼフ・ボイス

ヨーゼフ・ボイス　Joseph Beuys
一九二一年、ドイツ生まれ。二十世紀のアートにおける最重要人物のひとり。七〇年代以降は「社会彫刻」という独自の概念のもとで活動し、人々はみな、社会をよりよく変える可能性をもった芸術家であるとした。アート作品の発表と同時に、自然保護や反核、教育問題などにも携わり、その活動の総体を芸術と見なした。八六年に没す。

現代アートのなかでも最も難解なアーティスト

高橋　私は二〇〇九年に、ヨーゼフ・ボイスについての展覧会[注1]を水戸芸術館で企画したんです。その年は、一九八四年に来日して西武美術館で個展[注2]を開催してから二十五年という節目(ふしめ)でもありました。ボイスは八六年に亡くなっているから、私なりの解釈というかたちで進めた部分が大きい展覧会でした。

原田　私は、八四年の展覧会を見に行きました。でも、高橋さんは、リアルタイムでその展覧会を見ていない。なのに、ヨーゼフ・ボイスの個展をやるというのは、すごいと思った。あのころは、作品を見ても理解できなかったもの。

高橋　たしかに、ボイスは現代アートのなかでも、最も難解なアーティストかもしれませんね。私は、いまの仕事を始める前、彼の作品を見たことがあるし、ひととおり調べたこともあるんですけど、そのときはわけがわからなかった。美術館でボイスの作品を前にしながら、その説明を読んでも、どうにもわからない。

原田　だけど、私は、水戸芸術館の個展を見て、かなり腑に落ちましたよ。

高橋　ボイスという人は、芸術の概念を更新したアーティストなんです。

原田　なるほど。まさにそうですね。

高橋　第二次世界大戦のとき、ナチスドイツ政権下の空軍で通信兵をしていたボイスは、何回も空戦に駆り出されていて、あるとき、ロシアとヨーロッパの中間あたりにあるクリミア半島で、爆撃に遭うんです。飛行機が墜落して、大怪我を負っていたところを遊牧民に助けてもらった。そして、戦後にアーティストを志したんです。

原田　戦後、ドイツは敗戦国になって、東西に分裂する。なにより、ホロコーストという深い罪を背負っていかざるを得ない歴史が始まるわけですよね。

高橋　そうです。ボイスも、戦後になってナチスドイツの犯した罪の重さを知り、これからの芸術はモノをつくるのではなく、社会を変革するものでなくてはならないと考えるようになります。

原田　水戸芸術館の展覧会を見てから、それはわかるようになりました。高橋さん、ありがとう（笑）。

高橋　東西冷戦下において、特定のイデオロギーに偏（かたよ）らない第三の道を模索しながら、市民ひとりひとりが平和な社会をつくることを、芸術と考えましょう。これがボイスの思想の核であり、「社会彫刻」といわれています。

この社会を彫刻として考えれば、みんなで社会参加し、よりよい社会をつくることができる。社会を彫刻する能力があるという意味で、すべての人が、あなたたちが芸術家なのだ、ということです。

原田　ということは、私たちが生活している、これすべてがアート活動だと。私たちは期せずして、ヨーゼフ・ボイスの彫刻制作を手伝っているわけですね。

高橋　意志をもって、よりよい社会にしようとしているかぎりにおいて、ですけどね。

ボイスの作品はアクションの痕跡

高橋　ボイスは、アーティストとして政治や経済を積極的に自分のテーマとして扱い、教育制度にも介入していきました。たとえば、美術展の一室で、訪れた市民と対話することもアート活動と捉えていました。さまざまな分野の専門家が集い、自由に教科を選べる自由国際大学という組織を設立したし、「緑の党」という政党から、選挙に出馬したこともあったほどです。

原田　緑の党の主張もそうだけど、ボイスは、エコロジー思想も説いていましたね。

高橋　そうです。そうしたアクション（行動）すべてが、ボイスの芸術だったんです。

原田　思想家なのかアーティストなのか、その中間なのか、かつては不可解だったんですけど、いまでは、その流れを汲むと感じられるアーティストは多いですね。

　ところで、ボイスがアクションとしてのアートを実践したのはわかるけど、現在、美術館に収まっているような彼のオブジェは、どう見ればいいんだろう？

高橋　たしかに、ボイスは、いわゆる彫刻やオブジェも発表していますね。数々のパフォーマンスで使った道具や、パフォーマンスの結果できた物体や記録を作品としているところもあります。キリストでいうところの聖遺物のようなものですね。それは、行為の名残としての物体であり、それぞれの形や素材には象徴的な意味が込められています。たぶん、社会彫刻のために行ったアクションの痕跡は、人類という種の行為の名残として保存に値するという、博物館的な発想だったんだと思いますね。だから、美術館でボイスのオブジェを見ただけでは、そ

2009年、水戸芸術館現代美術ギャラリーで開催され、ヨーゼフ・ボイスの作品と活動を紹介した展覧会「Beuys in Japan　ボイスがいた8日間」の展示風景　撮影：松藤浩之
写真提供：水戸芸術館現代美術センター

の意味や価値がわからないというのは、ある意味、当然なんですよ。

原田　でも、ドイツやその周辺の美術館に行くと、ボイスの作品があまねく美術館に展示されていて、なんだかかっこいいんですよ。意味がよくわからなくても、置いてあるだけでかっこいい。たとえば、フェルトをぐるぐる巻いただけのようなものだったり、蜜蠟（みつろう）を素材の一部に使ったオブジェだったりする。

高橋　ボイスは、フェルトは熱を蓄（たくわ）える素材と捉えていました。同じように、蜜蠟を熱で溶けやすい素材と捉えて、「社会」を変形させるという比喩で使っていたようですね。

原田　そういったことが少しわかると、ボイスは、ますますおもしろいね。

俺こそが芸術家

高橋　ボイス作品の展示にもうひとつ関係あるとすれば、この時代からインスタレーションという手法が出てきていますからね。

原田　出ましたね、インスタレーション。でも、それは六〇年代からだと思うけど、ボイスはいつごろから活動を始めたんですか？

高橋　実質的には六三年くらいからです。最初はナム・ジュン・パイク[注3]やジョージ・マチューナスと知り合って、その後、フルクサス[注4]に参加していたんです。

原田 そうか、フルクサスでしたね。

高橋 それまでの芸術に対するアンチを唱え、前衛音楽やパフォーマンスなどを発表していたアーティストの集団ですよね。ニューヨークとかヨーロッパとかメンバーが国際的で、パイクやオノ・ヨーコのようなアジア人も参加していました。そのフルクサスに、ボイスは六〇年代に参加していたんです。

インスタレーションに話を戻すと、ドイツのヘッセン州立博物館に、かなり広いワンフロアをまるごと使ってボイス作品を展示している「ブロック・ボイス」という名前の部屋があるんです。そこに、ボイスがパフォーマンスで使った道具や作品をはじめ、いろいろなものが展示されているのですが、その配置はボイス自身によって決められています。ボイスに関しては、ここの展示をぜひ見てほしい！

原田 誰でも芸術家ではあるが、やっぱり、ボイスは「俺こそが芸術家だ」と思っていたという気がしますね。自分のアクションが、すなわちアート。そして、アートのセンスも抜群。ウォーホルとボイスって同じ時代に活躍したし、アメリカとドイツだから、東西の大物現代アーティストとして並び称されるのは、よくわかります。どちらもセルフ・プロデュースが巧みだった。

高橋　ボイスとウォーホルの作品はまったく相容(あいい)れないように見えますが、経済と芸術の関係に関心があったり、マスメディアの利用に長けていたところなど、共通点もたくさんありますよ。

原田　しかも、現代アートはみんなに開かれているという点で同じだったというのは、重要ですね。

注1　「Beuys in Japan：ボイスがいた8日間」展、二〇〇九年十月三十一日～一〇年一月二十四日、水戸芸術館現代美術ギャラリー。

注2　「ヨーゼフ・ボイス展──芸術の原風景」、一九八四年六月二日～七月二日、西武美術館（東京）。

注3　ジョージ・マチューナス（一九三一～一九七八年）は、リトアニア出身、ドイツ、アメリカで活動したアーティスト。六〇年代、自ら創出した「フルクサス」の名の下に、前衛芸術的なパフォーマンス・イベントなどを組織した。

注4　フルクサスはほかにも、日常生活のなかでの芸術体験、偶然性やユーモア、既成のジャンルや価値観からの解放などを重んじた。

産業的なものを撮るフェティシズム
ベルント&ヒラ・ベッヒャー

ベルント&ヒラ・ベッヒャー
Bernd & Hilla Becher
ベルントは一九三一年、旧西ドイツ生まれ、二〇〇七年没。ヒラは一九三四年、旧東ドイツ生まれ、二〇一五年没。五〇年代末から、溶鉱炉、給水塔など、ドイツの近代化を担った戦前の産業用建造物の撮影を開始。類型学的で主観を排した写真作品は、コンセプチュアル・アートとしても評価されている。九〇年、ヴェネチア・ビエンナーレで金獅子賞を受賞。

人工物を並べることで静謐さが滲み出る

原田　ベルント&ヒラ・ベッヒャーはドイツの写真家。夫婦だったので、ベッヒャー夫妻と呼ばれたりもしていますが、二人ともすでに亡くなっていますよね？

高橋　ベルントが一九三一年生まれで、二〇〇七年に亡くなっています。ヒラは三四年生まれで、二〇一五年に亡くなりました。

原田　活躍した時期を考えると、納得がいく。給水塔とか溶鉱炉(ようこうろ)、鉱山の発掘塔など、ドイツの近代産業の名残がある、戦前の建造物を二人で撮影するようになったのが、一九五九年。かなり早い時期に、写真におけるミニマリズムを始めたということですね。

高橋　最初からアートとして撮っていたのか、記録写真として撮り始めたのか、どっちなんでしょうね。

原田　「無名の彫刻」と名づけて撮りためたようだけど、アートにする意図はあったんだと思う。なんというか、美術館で展示された作品を見たときと比べて、本に載っている図版だけ見ると、ちょっと印象が違う。

高橋　そうですね。たいていの現代アートは、図版になると圧倒的に不利。

原田　図版だとよくわからないけれど、ベッヒャー作品も、見るべき空間で見ると、ハッとするほど、ほんとうに美しい。

もちろん私も、最初に知ったのは写真集だったんですけどね。八〇年代後半ぐらいかな。たしかに、とりたてて派手さがあるわけでもない、なんてことない建造物なんだけど、まるで静物画のようなんです。ものすごく静謐な作品。いまでいえば、工業地帯フェチとかいるけれど、室外機フェチあたりにもっと近いかもしれない。

高橋　まるで「タモリ倶楽部」ですね。

原田　ある種の産業的な構造物に対して美的なものを感じたり、フェティッシュな感覚を覚えたりするというのは、非常に現代的な感覚だと思う。シュルレアリスム[注1]とか未来派[注2]あたりから、人工物に対するフェティシズムはあったと思いますよ。デ・キリコ[注3]の絵に、給水塔が描かれているのは典型的で。だけど、そういうセンスを美的に処理するやり方を編み出したのが、ベッヒャー夫妻ではないかと。建造物を並列的に撮影して、その写真をインスタレーションにしたアーティストは、それまでいなかったでしょう？ たぶん、見え方としても新しかったし、撮影対象の選び方も斬新だっただろうし、私はそこにすごく現代性を感じる。

高橋　すべてどこにでもあったような近代建築で、建築家が誰かなんてわからないし、誰も気にしない、アノニマス（匿名的）な建築だというのがおもしろいんですよね。近代建築の巨匠といわれるル・コルビュジエ[注4]が、一九二〇年代に「住宅は住むための機械である」といっているんです。無駄な装飾など、削ぎ落としていいんだと。ベッヒャーの写した給水塔なんて、まさに機能だけしかない最たるものだと思う。

原田　機能オンリー（笑）。

高橋　だから、この作品は、近代建築を集めたということを超えて、近代の象徴になっているんですよね。ひとつの肖像になっている。それに、それらの建造物が失われつつあるものだということにも自覚的だったんだと思います。

写真は、ある瞬間、ある時代を記録する機能をもっていますよね。だから、同じ時代の違う場所を撮って並べて、それで作品にしたという手法がおもしろい。

原田　たしかに、失われてゆくものに対するノスタルジーって、ドイツ人だろうが日本人だろうが、普遍的な感性でしょう。その普遍的な感性に対して、直接的に訴えてきているから、すぐれたアート作品たりえていると思う。

高橋　しかも、同じような形態の物を、まったく同じ構図で撮影しているから、じつは感傷が見えてこない。

原田　その淡々とした繰り返しに、現代的な感性があるんだね。同じころかちょっとあとくらいから、アメリカでミニマリズムが出てくるけど、私には、その手の反復性の走りのようにも見えますね。

アーティストの視点の独自性とは

高橋　「写真作品の評価は、一枚だけでは成立しない」という話を、どこかで読んだことがあるんですよ。いくつも見ることではじめて、そのフォトグラファーがどういう視点をもち、どう切り取るのかが見えてくるということ。

原田　まったくそのとおり。給水塔の写真を一枚見せられても、意味がわからない。展示で見

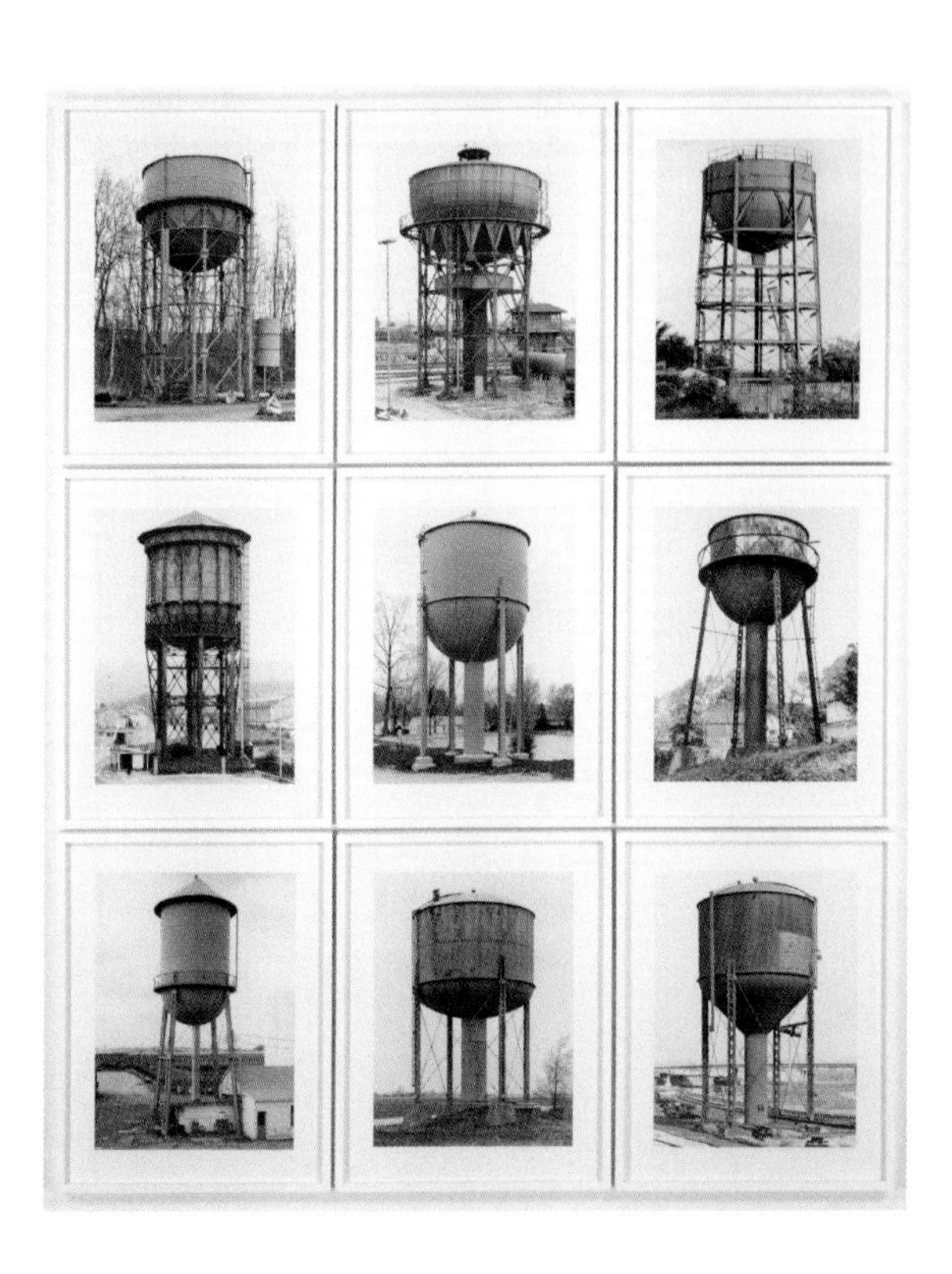

ベルント＆ヒラ・ベッヒャーの《給水塔》（1980年）は、何枚も並べてみることで、写真がただの記録ではなくなっていく

ると、額のサイズが大きくて、何枚かでセットだったりするから、壁いっぱいにあるという感じで、その見せ方も作品にとっては重要。

高橋　これはコンセプチュアル・アートですよ、完全に。

原田　フェティッシュな感覚とか、壁いっぱいの大きさというと、熱っぽい感じに聞こえるかもしれないけど、画面はとにかくクール。

高橋　じつは、突き放して見ているような視点も感じますよね。撮る対象と自分との距離感という意味では、いまならホンマタカシ[注5]さんとかに通じるような感じ。

原田　同じ手法で、仮にそれぞれ違った薔薇(ばら)を差した花瓶(かびん)の写真が連続してあっても、きっと意味をなさないんだろうね。

高橋　そうですね。被写体そのものの美しさということではないし、意味のあるモニュメントでもない。どこの町にもあるようなものだから、意識して撮ろうと思った人もいなかっただろうと思いますしね。強(し)いていえば、機能美ということかもしれないけど。

原田　私たちがデジカメで給水塔を撮っても、たぶんそれはただの給水塔なんですよ。だけど、そこにアーティストの感性が介在すると作品になる。

薔薇と花瓶を美しく撮る人はいるだろうけれど、普通は美を感じないものを、あえてきれいに撮るというのが、結果的に「これこそがアートなんだ」といえることにつながっている。何が写っているかということだけでなく、写真にはどんな機能があるのかということを考えさせられもする。

高橋　だから、ベッヒャー夫妻の作品は、写真の記録性をアートに組み込んだ発明だったのかもしれない。美術館で見かけたら、「これはベッヒャーだ」って、一瞬でわかりますから。

原田　誰かが似た作品を撮ることは、さほど難しくないと思う。だけど、それはもう真似でしかないから、誰もやらない。最初にやったとか独自性があるということって、アーティストには重要なのだと思います。

高橋　何を撮るか、どう撮るか、そして、どう見せるか。

原田　そうですね。どう見せるかも、かなり重要。ベッヒャー夫妻の場合、連続させて見せることで、強く印象に残る。写真作品を撮り続けるというのは、静かなというか、暗い情熱を感じますね。

高橋　情熱といえば、デュッセルドルフ芸術アカデミー[注6]で教鞭を執っていたベッヒャー夫妻が、その後の世代のアーティストに与えてきた影響力の大きさも忘れてはいけない。

原田　ベッヒャー派なんていわれて、写真を使うアーティストの大物がたくさんいる。

高橋　たとえば、スリー・トーマス。[注7]トーマス・ルフ、[注8]トーマス・シュトルート、[注9]トーマス・デマンドの三人です。ほかにも、[注10]アンドレアス・グルスキー、[注11]カンディダ・ヘーファーも芸術アカデミーで薫陶(くんとう)を受けている。

原田　いわれてみると、納得しますね。正面から捉えた感じというか、グルスキー、シュトルート、ルフなどの静物画のような撮り方には共通点があると思う。

高橋　しかも、実際のプリントを見るとわかるけど、とにかくきれい。

原田　そうだね。部屋に飾っておきたいくらい。

注1　シュルレアリスムは、一九二四年に「シュルレアリスム宣言」を発表した詩人のアンドレ・ブルトンが唱導した芸術運動。超現実主義と訳される。詩であれ絵画であれ、非現実的、幻想的という特徴があり、夢や偶然性といった人間の無意識を重視した。画家としては、マックス・エルンスト、ルネ・マグリット、サルバドール・ダリなど。

注2　未来派は、一九〇九年に詩人のフィリッポ・トンマーゾ・マリネッティが発表した「未来主義創立宣言」によって興った芸術運動。近代化に伴う機械の発達を背景に、「速度の美」を讃えた。ジャコモ・バッラ、ウンベルト・ボッチョーニなど。

注3　ジョルジョ・デ・キリコ（一八八八〜一九七八年）は、イタリアの画家。形而上絵画と名づけ、シュルレアリスムに先駆けて非現実的な作品を制作した。《イタリア広場》（一九一四年）など。

注4　ル・コルビュジエ（一八八七〜一九六五年）は、フランスを拠点に活躍した建築家。合理性を重視した、近代建築の三大巨匠のひとり。日本では、東京・上野にある国立西洋美術館の基本設計を行っている。

注5　ホンマタカシ（一九六二年〜）は、東京生まれの写真家。九〇年代半ばから、写真集、展覧会を中心に作品を発表。九九年、写真集『TOKYO SUBURBIA　東京郊外』で木村伊兵衛写真賞を受賞。二〇一一〜一二年、「ホンマタカシ　ニュー・ドキュメンタリー」展（金沢21世紀美術館ほか巡回）を開催した。

注6　デュッセルドルフ芸術アカデミーは、ドイツの国立美術大学。ボイス、パイクをはじめ、国際的に活躍するアーティストが多数輩出され、また教鞭を執っている。本書登場の奈良美智も留学して修士を得た。

注7〜9　トーマス・ルフ（一九五八年〜）、トーマス・シュトルート（一九五四年〜）、トーマス・デマンド（一九六四年〜）は、いずれもドイツの現代写真を代表するアーティスト。たまたま名前が同じだっただけで、独自に活動しており、協働して制作するわけではない。日本でも、それぞれ個展開催やグループ展出品は多い。

注10、11　アンドレアス・グルスキー（一九五五年〜）、カンディダ・ヘーファー（一九四四年〜）も、ドイツの現代写真を代表するアーティスト。

悪ガキたちの社会批判!?
Chim↑Pom

Chim↑Pom　チン↑ポム
二〇〇五年、エリイ、卯城竜太らが東京で結成した六人組のアーティスト集団。現代社会が直面しているさまざまな問題に等身大で体当たりするような作風で、原爆、原発事故、貧困などを扱い、ときに物議を醸す。ビデオ作品を中心に、国内外の展覧会で発表。他ジャンルとの協働を積極的に行い、国際的に活躍している。

ロスト・ジェネレーションから生まれたアーティスト

高橋　Chim↑Pomという六人組のグループの活動をご存じですか?

原田　もちろん。展覧会もいくつか見ているから、作品も知っていますよ。ユニークな名前だし、じつは何年か前までは、パフォーマンス・グループかと思っていたんですけど、作品を知るほどに、いいアーティストだと思いますね。

高橋　Chim↑Pomは、二〇〇五年の結成当時はみんな二十代だったんです。
　最近の作品を知っている人は、政治的なメッセージを発信するアーティストという印象が強いでしょうが、活動初期の彼らは、バブルを知らない「失われた世代（ロスト・ジェネレーション）」の代弁者のような感じでした。ちょっと悪ガキっぽいところは、いまでも相変わらず健在ですけれども。

原田　最初のころというと、ネズミを使った作品？

高橋　《スーパーラット》（二〇〇六年〜）という作品ですね。駆除するための薬剤に耐性がついて、どんな薬にも負けなくなった、都会のネズミをスーパーラットというらしいんです。そのスーパーラットを渋谷のセンター街で捕まえてきて、ピカチュウに似せた剝製（はくせい）にした。その剝製そのものと、彼らがセンター街で奮闘しながらネズミを捕獲するビデオの作品です。

原田　あれは、インパクトがありましたね。

高橋　私は、その《スーパーラット》が、彼らのポートレートに思えました。「どんなに社会が毒にまみれていても、俺たちは、しぶとく生き残る」というマニフェストのようでもあり、内省的な傾向のある彼らと同世代のアーティストと比べて、確実に異彩を放っていましたね。

広大なゴミ山でつくった作品

原田　高橋さんが展示したという作品は、どういうもの？

高橋　インドネシアで日本の現代アートを紹介する、という二〇〇八年の企画[注1]で、若手のアーティストたちに現地に滞在してもらい、そこで作品を制作してもらったんです。
このときChim↑Pomは、廃棄物でできたゴミ山で作品をつくりたいというプランを出してきたんです。ジョグジャカルタという都市の郊外に広大なゴミの山があるのですが、そこに暮らしている人たちがいるんです。

原田 東南アジアのゴミ山で生活する人々については、ドキュメンタリー映画で見たことがあります。

高橋 猛烈な臭いのゴミ山なんですが、Chim↑Pomのメンバーは、そこをリサーチで訪れたんです。すると、たしかに悲惨な状況ではあるけれど、そこで暮らす子供たちは元気で、たくましく生きていることがわかってくる。Chim↑Pomは、そういう困難な状況に置かれている人たちを上から目線で憐(あわ)れむのではなく、そこで生きる人間のたくましさや尊厳に注目し、彼らの生き様から希望を引き出すんです。

原田 けっきょく、そのゴミ山で作品をつくることにしたの? 普通なら、近づくことすら、はばかられるような場所でしょうに。

高橋 ゴミ山の上にヘリコプターを飛ばして撮影する映像作品をつくろうとしたんですけど、飛行許可が下りない。だったら、バリなら新婚旅行で乗るような観光用ヘリコプターを飛ばせ

Chim↑Pom《LEVEL 7 feat.『明日の神話』》(2011年) からの一場面。右奥で二人が、黒煙の上る原発建屋を描いた絵を貼りつけている
Courtesy of the artist and MUJIN-TO Production

るんじゃないかということで、Chim↑Pomはバリのヘリコプターの会社に掛け合ったんです。だけど、そんなところを飛んだことがないとか、許可を取るのが難しいといわれて……。

原田 それはそうだよね。新婚旅行でゴミ捨て場に行く人はいない（笑）。

高橋 何度もしつこくChim↑Pomがヘリコプター会社にお願いするので、会社の人が「なぜ、そんなところを飛びたいのか」と彼らに尋ねたらしいんです。Chim↑Pomのメンバーには、エリイという女性がいるんですけど、彼女がその質問に、なんと「夢だから」と答えたんです。そうしたら、「夢ならしょうがない」って、最終的にはヘリを飛ばしてくれたんです。Chim↑Pomには、そういう突破力があるんですよ。Chim↑Pomは、行動力で生み落とした作品を通して勇気や可能性を提示するから、作品を見た人に力を与えてくれるんだと思う。

原田 最終的に、ヘリコプターは飛んだんですね。すごい。

高橋 エリイがヘリコプターからゴミ山にゴミを捨てて、そこの住人と仲良くなっていたChim↑Pomの男性メンバーが、空から落ちてきたゴミをその人たちと一緒に拾う映像と、実際のゴミとを組み合わせた作品が完成しました。貧富の差や、経済力と生（せい）の充実感との矛盾（むじゅん）を感じさせる、いい作品でした。

原田 たしかに、壮大な悪ふざけにも見えるけど、痛烈な社会批判にもなっていますからね。

《明日の神話》事件

原田　私がChim↑Pomをはっきりと意識したのは、渋谷駅にある岡本太郎(おかもとたろう)[注2]の《明日の神話》という壁画のすみに、福島の原発事故を思わせる絵を付け足したというときです。

高橋　原発事故から二カ月と経たないときに、人通りの絶えない渋谷駅で、しかもゲリラ的な行為だったから、マスコミでもかなり話題になりましたよね。

原田　当時、渋谷駅の《明日の神話》の前は、まさに私の通り道だったから、じつは現場を通り過ぎていたんですよ。なんだかざわざわしていたのは気づいていたんだけど、ニュースになったのを見て、くわしく知った。

私は、ストリート・アートにも関心があったし、イギリスのバンクシー[注3]とか、フランスのJR(ジェイアール)[注4]とか、好きなアーティストもいます。ストリート・アートを題材にして、小説も書こうと思っていたところだったので、すごく興味を引かれましたね。これは、なかなかおもしろい人たちだと。

高橋　《明日の神話》が、そもそも岡本太郎が原爆や水爆をテーマにして描いた作品だから、Chim↑Pomは「日本における核の歴史を更新した」ということをいっていますね。メンバーが二人がかりで絵を貼りつけている様子は、《LEVEL 7 feat.『明日の神話』》(二〇一一年)という作品に収まってます。

原田　簡単にやっているようだけど、メッセージの強さがすぐにわかるし、私は快哉を叫びましたよ。

高橋　「王様は裸だ」と叫ぶ子供と同じで、誰にでもできることじゃないんですよね。

原田　公共の場にゲリラで絵を貼るのはけしからんという社会のルールがある一方で、では、原発事故が人災ならば、その罪はどちらが重いのかという問題提起ですからね。

高橋　同じ時期に、事故のあとの福島原発まで防護服を着て行って、真っ白い旗に赤いスプレーで日の丸を書き、それを放射能マークにして、白旗を振るというアクションを収録したビデオ作品もあります。《REAL TIMES》(二〇一一年)という作品です。そのときどきのリアルな問題に、瞬間的に反応できるアーティストですよね。

原田　もっと前には、広島でも話題になったというか、騒動になったというか……、私は雑誌で知ったんですけど、いままでいなかったタイプの、メッセージ性をもった過激な人たちが出てきたなと思った。

高橋　《ヒロシマの空をピカッとさせる》(二〇〇九年)ですよね。二〇〇八年の秋に、原爆ドームの上空に、飛行機雲を使って「ピカッ」という三文字を書いた。それを撮影したビデオを、のちに作品にするんですけど、空に「ピカッ」とマンガのオノマトペを描いたこと自体が、被爆者感情を傷つけたなどと、マスコミから非難されました。

私は、瀬戸内の美しい秋晴れの空に、いっときだけ浮かんだ「ピカッ」という雲は、忘却を扱っているんだと思います。原爆を落とされたことに対するリアリティーが、現代人のなかで希薄になっているということを示したのだろうと。

原田　原爆の悲劇を忘れてはいけない、ということか。思い出させようとしたんだね。原爆とか原発とか、Chim↑Pomのなかではテーマがつながっている。

高橋　そうなんです。広島のも、すぐれた作品だと思いますよ。その後、数年かけて被爆者団体などと和解して、一三年には旧日本銀行広島支店という被爆して残ったビルを自分たちで借りて、展覧会を開いたんです。広島のボランティアがたくさん協力していました。これも、Chim↑Pomなりの行動力と突破力なんじゃないでしょうか。

原田　Chim↑Pomは、時代性と政治性とメッセージ性を兼ね備えているんですね。これも現代アートの使命のひとつといえるし、Chim↑Pomは、その瞬間にしかできないことをやっている感じがする。だから、なおさら次の展開が想像できなくて、これから先の活動も楽しみですね。

注1　インドネシアのジャカルタ、バンドゥン、ジョグジャカルタで同時開催された展覧会「KITA!! : Japanese Artists Meet Indonesia」（二〇〇八年四月十九日～五月十八日）のこと。

注2　岡本太郎（一九一一～一九九六年）は、戦後日本を代表する芸術家。三〇年代のフランスで前衛的な絵画運動に関わり、帰国後は、絵画、彫刻、執筆、テレビ出演など、マルチな才能を発揮し一躍、人気者に。大阪万博の《太陽の塔》、流行語にもなった「芸術は爆発だ」はとくに有名。

注3　バンクシーは、素性不明の覆面アーティスト。イギリスを拠点にグラフィティなどを展開する、カリスマ的存在。反権力的な社会風刺をセンスのよいビジュアルに仕上げ、二〇〇〇年以降のアートシーンを沸かせている。

注4　JR（一九八三年～）は、フランス生まれのアーティスト。建物の外壁に巨大なポートレート写真を貼るストリート・アートのプロジェクトを、世界各地の紛争地やスラムなどに出向き、現地の住民と行っている。

日本を代表する美術館に出かけた
著者ふたりが感じたことは？

第４のドア

美術館に行こう

美術館に行くまえに

原田マハ

本物の作品をこの目で見に行こう

それにしても便利な時代になった。

インターネットの普及のおかげで、どこにも行かずとも、自分の部屋にいながらにして、一瞬でほしい情報を手に入れることができる。世界中のどこでも、たとえ地球の裏側でも、いま起こっている出来事、過去のニュースを閲覧できる。情報から情報へ、渡り歩いて、どんどん知識を増やすことができる。

別に、どこにも行かなくてもいい。部屋から一歩も出なくても、べつだん不便はない。

当然、私もネットユーザーだし、多くの情報をそこから得ている。小説やエッセイを書くために情報を得るのも、多くの場合、ネットを通してである。もはやネットは生活に不可欠になった。こうなってみると、ネットがなかった時代に、いったいどんなふうに情報を得ていたのか、他者とコミュニケーションをしていたのか、よく思い出せないくらいである。

などと書けば、「何をいまさら……」と思われてしまうかもしれない。けれど、最近、若年層を中心に、ネットにつながってさえいれば、どこにも行かなくてもいいじゃないか、と錯覚してしまう人々がいることを、私は大いに懸念している。

部屋から出ない。人と会わない。遊びに行かない。旅になど出ない。もちろん、美術館になど行かない。

そうなのである。ネットの普及で、人々が出かけなくなっている。書店に行かない（電子書籍もあることだし）、映画館に行かない（動画サイトで映画も見られるし）、そして美術館に行かない（名画はいくらでもネット上で検索できるし）。わざわざ出かける必要がない、出かける必然性がなくなってしまってきているような雰囲気がある。

けれど、アートとは、本来そういうものではない。わざわざ出かけていって見るものなのである。

確かに、どんな名画でも、ネットで検索すればたちまち見ることができる。しかし、それは

「本物の作品」ではない。「画像データ」なのである。

展覧会に行けば、入場するのに何時間も待って、やっと入れたかと思ったら人の頭しか見えなかった――というのを嫌う人は、何も苦労して行かなくてもネットで見られるからいいや、と思ってしまうかもしれない。

一方で、どんな苦労をしても「本物」を見に行く人がいる。私もそのひとりである。なぜか。アートとは、「見せる」／「見に行く」という、アーティストと私たち、相互の体験があってこそ、初めて成立するものだからだ。

よく思うのは、映画も小説も、鑑賞する人、読む人がいてこそ、初めて完結、成立する、ということ。アートも、まったく同じだ。アーティストの息づかいが感じられる作品そのもの、それが展示される空間、美術館やアートスポットのロケーションも含めて、私たちが「体験する」ことこそが、アートをアートにすることができる、たったひとつの条件なのではないだろうか。

アートをアートにすることができる、その大切な鍵(キー)は、実は私たちの手の中にある。

そんなふうに思えば、部屋にこもっている場合じゃない、という気分になってくる。アートが私たちの到来を、美術館で、展示施設で、アートイベントの会場で、日本の、世界のあちこちで待っている。出かけていこうじゃないか、と気分が上がってくる。

いつも思う。アートは友だちなのだと。恋人でも夫婦でもない。友だち、である。

なぜなら、ほんとうの友だちは裏切らない。友だちは去っていかない。友だちは全力で応えてくれる。困ったときには力になってくれる。励ましてくれる。どんなときでも、無条件で受け入れてくれる。あたたかく迎えてくれる。

そして、美術館は友だちの家である。訪ねて行けば、よく来たね、と気持ちよくドアを開けてくれる。心ゆくまで友と対話し、悩みがあれば打ち明け、うれしいことがあれば報告し、喜びも苦しみも分かち合う。ときにゆっくりと、お茶を飲みながら、カタログを開いて時間を過ごす。友との会話を胸に蘇(よみがえ)らせながら。

友だちの家は、世界中、さまざまな街にある。私はよくひとり旅をするのだが、ちっともさびしくはない。さあ、今日はどの友人に会いに行こうか、といつもわくわくする。

そんなわけで、「美術館のある街」というのが、旅の目的地を決めるときの大切な基準になっている。そうしておけば、旅の計画にやりがいが芽生(めば)える。

また、特別展や、日本の各地で開催されている「地元密着型アートイベント」などは、いわば友だち主催のパーティーのようなものだ。期間限定で、多くの人が集まり、多彩な関連イベントも用意されている。なかなか会えない友だちに会えたりするのも、パーティーならではの楽しみだ。

　友だちに会いに、出かけていこうじゃないか。

展覧会を楽しむには事前準備も大切

「展覧会を楽しむ極意を教えてください」と請(こ)われることがある。

それぞれが、それぞれに自由に楽しめばそれでいい——と答えたくもあるのだが、長年展覧会に通って得た「極意」がないわけではない。

　実は「極意」といえども、ごくシンプルなこと。いくつかの事前の準備を怠(おこた)らず、行ってからのルールのようなものを身につければ、ちょっとしたことで、展覧会が格段におもしろく感じられるようになるはずだ。

　まずは、展覧会に出かけるまえの準備について。いうなれば、友だちの家に遊びに行く、パーティーに参加すると思えばいいわけである。何も構える必要はない。準備するにも心が躍るはずだ。

まず、展覧会の開催期間と時間をチェックする。こういうときには、思い切りネットを活用する。出かけないためではなく、出かけるためにネットを活用すれば、大いに役立つ。

鑑賞する時間帯を工夫する

人気の展覧会は、平日の午前中や、週末の昼前後がもっとも混雑する。インフォメーションをよく見てみると、たとえば金曜日など、二十時まで夜間開館している美術館や特別展もある。その多くは、ふつう閉館の三十分まえまで入場可能となっているはずだ。この三十分を狙っていくのがいい。ラスト三十分は、ほんとうにびっくりするほど人がいない。どんな人気の作品であっても、じっくりと向き合って対話することができる。三十分はいかにも短いと感じるかもしれないが、これだけは絶対に見たいという作品を絞り込んでいる場合には、三十分あればじゅうぶん堪能(たんのう)できる。それでも、大型の展覧会だと三十分ではせわしないかもしれないので、閉館の一時間まえに入場するというのでもいい。それでもかなり人波は引いているはずである。

作品解説は事前にウェブでチェック！

また、展覧会ではまず入り口の解説を読んでから、順路通りに見る人がほとんどだと思うが、これも場合によってはスキップしてしまおう。どんな作品が出ているのか、アーティストの背景や制作のコンセプトなど、やはり事前にウェブサイトで予習して、ある程度頭に入れてから行けば、解説のまえで長々と立ち止まる必要がなくなる。そして、順路をきっちり守って進むよりも、まず見たい作品がわかっていれば、それをいちばん先に見てもかまわない。そこでたっぷり時間を費やし、あとはランダムに、心の赴くまま、会場をさまようのもおもしろい。

キュレーターの意図を考えてみる

展覧会には、アーティストの作品が漫然と並べられているわけではない。その展覧会の企画者、つまりキュレーターがコンセプトを創り、演出をしている。従って、作品の向こう側には、キュレーターの意図も表れているはずだ。それを読み解きながら見るのも興味深い鑑賞方法である。

古典的な展覧会や、海外の著名美術館のコレクション展であっても、その企画の担当キュレーターが時代やテーマなど、なにがしかの意図のもとに作品を展示している。

とりわけ、現代アートの展覧会の場合、キュレーターの手腕がいっそう光る。いかにアーティストのクリエイティビティーを引き出し、ドラマティックにおもしろく見せることができるか。クリエイターであるアーティストと、いわばプロデューサー的立ち位置のキュレーターのあいだで、おそらくは長く熱い議論があり、ときに闘い、融和して、展覧会を仕上げていく。

キュレーターが設定したテーマのもとに、複数のアーティストを集めて展示するグループ展などは、キュレーターの腕の見せどころだ。すばらしいグループ展を見たとき、キュレーターの意図がはっきりと伝わってくるものだ。そこには見事なハーモニーが生まれている。アーティスト同士、作品同士が、響き合っている。そんな展覧会に行き合ったとき、ほんとうに見てよかった、来てよかったと心底思う。

入り口にいた自分と出口に着いた自分を比べてみる

あなたが訪れた展覧会が、いいものだったかどうか。その結論は、「出口」にこそある。良質な展覧会を見ると、入り口にいたときの自分と、出口にたどり着いたときの自分が、違う自分になったことに気がつくはずだ。展覧会の出口は、新しい自分への入り口なのである。アーティストも、キュレーターも、新しい出口をあなたのために用意しようと、展覧会を創っているのだ。

新しい出口にたどり着くために、入り口に立ってほしい。そこにあるのは、あなたの友だちの家のドアだ。躊躇(ちゅうちょ)する必要など、どこにもない。まずは、ノックしてほしい。ドアはすぐに開かれるだろう。

東京国立近代美術館は幼なじみの家

原田マハ

近美で絶対に見ておくべき作品

日本は、世界的にみても、相当な美術館大国である。

各都道府県庁の所在地はもちろん、地域によっては市町村レベルでも、公立美術館が存在している。個人のコレクションをベースにした美術館や、郷土ゆかりのアーティストの美術館などを数えると、かなりの数に上る。

美術館のある街に住んでいる、というだけで、なんとなく格調高い感じがする。あるいは、美術館のある街を訪ねる、というだけで、なんだか得したような気持ちになる。少なくとも、私はそうなのである。

日本に本格的な公立美術館が設立されるようになったのは、戦後しばらくしてのことだった。中でも、モダン・アートのコレクションを一堂に展示する近代美術館は、なかなか造られなかった。

一九五二年、国立としては初めての近代美術館がオープンした。それが、東京国立近代美術館である。その後、同館は、移転と何度かの増改築を経て、現在、皇居にほど近い場所、竹橋（たけばし）にある。最近も内装が新しくなって、展示のコンセプトと手法にも新しい試みが加えられることになった。

何をかくそう、私は長年、この「近美」の熱心なファンである。現在の実家がある場所から近い、というロケーションも手伝ってのことなのだが、子どもの頃からアート好き、展覧会好きだったので、けっこうな頻度（ひんど）で同館に足を運んでいた。いわば「幼なじみの家」のような美術館なのである。

近美のコレクションの基本を成しているのは、当然ながら近代美術の作品なのだが、時代も分野も、「モダン・アート」のフレームから逸脱（いつだつ）せずに、幅広い範囲をカバーしているのが特徴だ。中でも、日本の近代美術のコレクションは、日本画と、いわゆる洋画の分野の作品がすばらしく、明治期以降の日本における美術を展観するのであれば、これほど充実した美術館はほかにはない。戦後の現代アートの黎明期の作品も充実しており、また、最新の現代アートはコレクションを見せるよりはむしろ企画展で、ダイナミックにしかけている。

多くの美術館は、コレクションを展示するいわゆる「常設展」、期間を設けて特別に展覧会を展示する「特別展」あるいは「企画展」を開催している。

意外と知られていないことなのだが、実は近美のコレクションにはけっこうな数の重要文化財が含まれている。その数なんと十三点（うち一点は寄託作品）。重要文化財といえば、なんとなく仏像や書画骨董であるイメージが強いかもしれない。しかし、明治以降の優れた日本の近代美術にも重要文化財に指定されたものがあるのだ。

その中には、私が個人的に「これは絶対に見ておくべき作品です」と、自信をもって人に勧めている作品がある。原田直次郎作《騎龍観音》（寄託作品、一八九〇年）、萬鐵五郎作《裸体美人》（一九一二年）、横山大観作《生々流転》（一九二三年）などは、同館に行けば必ず見たい作品である。だが、会期によっては展示されていない場合もあり、事前の確認を。

ほかにも、日本画でも洋画でもないのだが、近美には、アンリ・ルソーの傑作が所蔵されている。《第二十二回アンデパンダン展に参加するよう芸術家達を導く自由の女神》。一九〇五—〇六年の作品で、サイズも大きく、構図も絶妙。何より、無審査で展示してもらえる「アンデパンダン（独立）」展に常連で出品していたルソーの、同展への賛美が、泣きたいほど純情に描かれている。この作品を、ほんとうに何度見に行ったことだろう。

リニューアルした近美の新たな試み

近美は、二〇一二年に開館六十周年を迎えた。その機会に内装がリニューアルされたのだが、同時に、所蔵品ギャラリーのレイアウトや内容もユニークに変容した。重要文化財などの「お目当て」作品が展示される「ハイライト」コーナー、照明がドラマティックに工夫された「日本画」コーナー、皇居が一望できる「眺めのよい部屋」など、とかく「ハードルが高そう」と敬遠されがちな国立美術館の展示のあり方を、よりおもしろく、より近寄りやすく、積極的に変えていこうとする近美の意気込みが伝わってくる。

所蔵作品展は、いままではフロアごとに時代とカテゴリーで分けられて、広い展示室にまとめて展示されていたが、リニューアル後は、十三もの部屋に小分けにしてあり、テーマを設けて展示されている。これがまた、「へえ、近美ってこんなコレクションを持っていたんだ」と認識を新たにさせる、とても効果的でおもしろい試みになっている。

所蔵作品展の新しい展示スタイルについて、研究員の鈴木勝雄（すずきかつお）さんはいう。

「部屋ごとにトピックを立てて、企画性の高い展示ができるようになりました。新しい空間になって、どんなことができるのか、いろいろやってみようと、僕ら研究員も意欲的に企画を考えています」

本稿のために訪問したときには「何かがおこってるⅡ：1923、1945、そして」という、実に巧みなタイトルの特集展示を開催中だった。ここのところの近美は、タイトルひとつとってみても、とてもキャッチー。ふつう、所蔵作品展といえば「郷土ゆかりの画家 その1」とか、「○○年度新収蔵品展」とか、ほんとうにごくふつうのタイトルがつけられているものなのだが、「何かがおこってる」といわれれば、じゃあ何が起こってるのか見に行ってみよう、という気持ちになるのが人情だ。

「何かがおこってる」は、パートⅠとパートⅡ、いわば前後編に分けて展示されており、たとえば関東大震災や戦争といった、現実に起こった出来事の中で、その同時代のアーティストたちがどう反応し、作品に取り込んでいったのか——という、いままでありそうでなかった着目点が光る。

時代背景を検証することで、現在のアーティスト同様、過去のアーティストたちがいかにそのときの出来事に敏感だったかを知ることができる。いま見れば「昔の画家」であっても、各時代に活躍していたアーティストたちは、そのときの現代アーティストだったわけだ。

「『何かがおこってる』という大きなテーマの中で、美術と社会の密接な結びつきを見せていく。それによって近代美術を現在に近づけて見ることができるのではないかと考えています」

アートと時代性は切っても切れない関係である。そこをしっかり見せていくのが展覧会企画者の仕事であると鈴木さんは語る。今回の展示でも、戦前の雑誌「主婦の友」や戦時中に作られた子ども用アニメ、戦後のオリンピックポスターなど、美術作品以外のものを一緒に展示することで、時代性を際立たせた。

「今回のコレクションの展示のあり方は、いままでのものからすると、かなり特殊に見えるかもしれません。しかし、美術というものが社会から切り離されたものではなくて、それぞれの時代を、作者の緊張感や葛藤を含めて映し出すものだということを、展示を通して見せたい。近代美術は、決して『ガラスケースの中の過去』ではなく、現在形の表現なのです」

ただ、「素直に名品を見せてほしい」と、従来通りのクラシックな展示を望む声もある。そういう要望にもきちんと応えるためにも、展示室が小分けになっているわけだ。ある部屋では挑戦的なテーマ展示を、ある部屋では時代順にしっかりと見せる所蔵作品展を。来館者は、自分の好みで見る順番を決められるし、見たいところだけ見て帰ったってかまわない。国立近代

日本におけるシュルレアリスムの代表的画家・古賀春江の絵画《海》（1929年）の前で、研究員の鈴木勝雄さん（右）と絵について語り合う原田

美術館という、決まったフレームの中に設けられた自由さが、むしろ新鮮に感じられる。

近美は所蔵作品展も見どころが多いが、企画展も非常に質が高く、かつ最近は実験的ともいえる展覧会も行われるようになった。私が訪問したときには「現代美術のハードコアはじつは世界の宝である展」という、なんとも挑発的なタイトルの展覧会を開催中だった。ほんとうに、タイトルがいい。「ハードコアってなんだ？」「何がどう世界の宝なんだ？」と、ついふらふらと誘い込まれて入ってしまいたくなる。

同展は、電子部品産業で成功し、一代で財を成した台湾人実業家、ピエール・チェン氏の現代アートコレクションを紹介する展覧会である。ただコレクションを借りてきただけかといえば、そうではない。このような超絶現代アートコレクターがアジアに存在する、ということを顕在化させることによって、世界におけるアジア人の台頭を見せつけ、また、日本の国立美術館でアジアの一個人コレクターを紹介するという、大胆な離れ業をやってしまった。あらゆる意味で「時代は変わった」と認識させる好企画であった。展覧会の出口では、展示されている作品の値段を予想するクイズを出してみたり。どこまでも「ハードルを低く」しているところに、現代アートをポップ・カルチャーに近づけようと挑戦する近美の姿勢を感じ取った。

アートは「私たち」のもの

美術館へ行けば、いつも思うことがひとつ、ある。

アートを含む文化財は、「私のもの」ではない。「私たちのもの」である。文化財は、私たちの共有財産なのだ。だから、ちょっと高いかもしれない入場料を払うのは、私たちの文化財を守り伝えるための義務であり、展覧会やコレクションを見るのは、私たちの権利なのである。私たちのものなのだから、大切にしたい。私たちのものなのだから、もっとどんどん見たい。私たちのものなのだから、もっと誰かに伝えてもいい。あの美術館にはすばらしい絵があるよ。あのコレクションには私の好きな作品があるんだ。きっとあなたの気に入るものもあるはずだよ、と。

ひとりで行って悦に入るのもいい。けれど、誰かと一緒に行けば、もっと楽しくなるはずだ。東京国立近代美術館の新しい試みを、誰かとシェアしてほしい。遠慮することは何もない。《裸体美人》も、《生々流転》も、東山魁夷（ひがしやまかいい）の《道》（一九五〇年）も、私たちのもの。私たちの、大切な宝物なのだから。

所蔵作品展「MOMATコレクション」より「特集『何かがおこってるII：1923、1945、そして』」、二〇一四年四月十五日〜六月一日、六月七日〜八月二十四日、東京国立近代美術館本館所蔵品ギャラリー。

「現代美術のハードコアはじつは世界の宝である展――ヤゲオ財団コレクションより」、二〇一四年六月二十日〜八月二十四日、東京国立近代美術館。同年九月六日〜十月二十六日に名古屋市美術館、同年十二月二十日〜二〇一五年三月八日に広島市現代美術館、一五年三月三十一日〜五月三十一日に京都国立近代美術館へ巡回。

東京都現代美術館の見応えあるコレクション展

高橋瑞木

苦節を乗り越えた都現美の工夫とは

「駅から遠い」、「美術館を見たあとに立ち寄るところがない」と、これまでさんざんブーイングを浴びてきている東京都現代美術館（失礼！）だが、ここ数年、熱心な現代アートファンの間ですこぶる評判がよいのが、ここのコレクション展示だ。

一九九五年に開館した「都現美」は、戦後美術や資料を中心に約四千七百点のコレクションを有している。

美術館とは本来なら毎年新しい収蔵作品を増やし、コレクションの充実やアップデートを図っていくものなのだが、悲しいかな、この都現美は開館してから数年後に作品の収蔵が停まってしまった時期があった。日本の公立美術館は、それでなくても作品の収蔵予算が潤沢でないのにもかかわらず、である。

作品の収蔵が停まってしまうということは、その停止期間に発表された作品の購入の機会を失うことであり、同時代の美術を収蔵、紹介していく現代美術館にとっては、活動の根幹に関わるかなりのダメージだったことが想像に難くない。しかし、そんな苦節を乗り越え、学芸員の独自の切り口や創意工夫で構成した都現美の近年のコレクション展示は、見応えのあるものになっている。

オーソドックスなコレクションの展示では、時代や様式、制作された国ごとに作品が分類される場合が多い。しかし、交通や情報通信網の発達により社会や思想が多層化し、またそれらが瞬時に世界中に伝達されるいま、アーティストたちの関心や作品の形式や発表形態もどんどん複雑になってきている。こうした状況に対し、かつてのような時代や様式、作品の生産国で区分する旧来の展示方法に適していないのでは、という指摘もされている。

都現美の常設展も、過去に制作された作品を現代に生きる世界の観客にどのように紹介するか、試行錯誤を重ねている。コレクション展示としてこの数年間展開している「クロニクル」というシリーズ展示は、一九四五年、一九五一年、一九五七年、一九六四年や一九六六年という限定的な時期に起こった美術運動やアーティスト、作品の傾向を掘り下げる展示である。日本の戦後前衛美術運動を作品と資料で丹念に追った展示は、アジアの前衛美術運動の重要な資料として、海外のキュレーターからも評価が高い。

そもそも美術館は作品の墓場だといわれることがある。遺骸（作品）がいったん安置（収蔵）されれば、保存に適した環境で半永久的に墓守（学芸員）が管理する。しかし、その半永久的な安息の地を得る代わりに、作品は生み出された当時の活況から断絶されてしまう。だから、その遺骸に再び生命を吹き込み（というと、フランケンシュタイン博士みたいだが）、鑑賞者と生き生きとした関係を結ぶための環境づくりを試みるのが、キュレーターの腕の見せどころともいえるだろう。

見方によっては賛否両論の企画展

都現美は二〇一四年で開館二十周年ということもあり、春から夏にかけて、コレクション作品によって一九九五年を振り返る「クロニクル1995―」展が開催されていた。一九九五年といえば、神戸の都市部で多くの死傷者を出した阪神淡路大震災、そしてオウム真理教による地下鉄サリン事件が起こった年として、日本国内では記憶されている年だ。バブル経済が崩壊

東京都現代美術館
「開館20周年記念MOTコレクション特別企画　クロニクル1995─」(2014年)
展示風景　撮影：椎木静寧

したのは一九九〇年代初めだったが、その崩壊が実社会に影を落としているのが広く世間に実感されるようになったのが、この年だったように思う。私は当時、これから就職活動を始めようとする大学三年生だったが、ちょっと前まで大学の先輩たちが口にしていた、数社から内定をもらってどこにしようか迷っている、どこどこの企業は内定者を引き止めるために高級レストランでご馳走を振る舞っている、なんていう景気のよい話とはうらはらに、最後のベビーブームの就職氷河期と呼ばれ、とはいえフリーターという身分もまだ社会に認知されておらず（大卒で就職していない人はプー太郎と呼ばれていたのです）、同級生たちは就職先を見つけるのに四苦八苦していた。ちなみに、この世代はのちにロスト・ジェネレーションと呼ばれるようになった。
今回の「クロニクル１９９５―」展は、私と同世代の学芸員、藪前知子（やぶまえともこ）さんによって企画された。展示のはじめにはホンマタカシによる郊外の風景写真とともに、阪神淡路大震災のときの記録写真が並んで展示されている。

「この『クロニクル』展の展示は、あくまでも当時関東に住んでいた人間の視点から編まれたものだという意見もあるんです。阪神淡路大震災を実際に体験した関西の人だったら、作品の選び方や展示の切り口ももっと違うものになったと思います」

なるほど、ごもっとも。関西はもちろん、北海道や沖縄、日本各地に暮らす人それぞれが実感する「一九九五年」の眺めは、東京に暮らす人とは異なるはずだ。関西の学芸員が企画する「１９９５年」展と都現美の「１９９５年」展と比較してみたいものだ。

「１９９５年」展には、そのほかにもジャーナリストの都築響一（つづききょういち）による、バブル時代に公共工事で日本各地に設置されたトンデモ建築の写真といった、当時のドキュメンタリー要素の強い写真から、会田誠の戦争画、阪神淡路大震災をきっかけとして制作された八谷和彦（はちやかずひこ）のメディア・アート作品などが展示されており、当時の社会に日本の現代アーティストたちがどのような視線を向け、反応していたかを窺（うかが）い知ることができる。展覧会の後半は九五年以降にアーティスト活動を始めた若手の作品が展示されており、前半に展示されたアーティストとの関心の違いが興味深いコントラストを生んでいる。

あるテーマに沿って作品を展示する企画は、賛否両論を巻き起こすことが少なくない。しかし、それは少なくとも展示が鑑賞者の思考回路を刺激したということの証拠なので、「教科書で見たことのある作品が目の前にあって感激しました！」的な感想よりも、歓迎すべきことだろう。もっとも、企画した展覧会がＳＮＳやブログでクソミソにけなされれば当然、学芸員も落ち込むのだが。

現代アートだからこそ起こる「作品のリタイア」

ところで、藪前さんから現代美術を扱う学芸員ならではの興味深い話を聞いた。現代アートというと、絵画や彫刻だけでなく、デジタル映像や電子機器を素材とした作品も少なくない。こうしたニューメディアでは、次々と新しい機器が開発されていく。たとえば映像メディアだけを考えてみても、フィルムからビデオテープ、そしてＤＶＤやブルーレイ、ハードディスクと、この数十年の間にめまぐるしく変化しており、新しいメディアが発売されると、古いメディアを再生するための装置はどんどん生産中止になっていき、同時に故障したときの交換部品もなくなってしまうのだ。

　こうした状況に対して、最近は「作品のリタイア」という考え方が出てきているのだという。つまり、作品を起動したり、再生するための機材が故障し、どうにも制作された当時の状態と同じように展示ができなくなったときに、その作品は役割を果たしたと見なし、展示という「現役」から引退していただく、という考えだ。作品自体は機械でできているのに、なんとも、切ない話ではないか！　もっとも、藪前さんはこの「作品の引退」という考え方にはやや疑問があるらしく、「現役と同じように動かなくなったときまで見越して、どう作品を後世に伝えるか、アーティストと十分に話し合って収蔵するべきではないか」と、作品を後世にちゃんと伝えようとする学芸員の矜持が感じられる発言をしていた。

　こうして見てみると、現代アートとは、非常に人間くさいものである。作品を生み出したアーティストも、それを用いて展示を行う学芸員やキュレーターも、ひとりの人間が時代と向き合うなかで感じるリアリティーから、制作や展示企画を始める。

「いや、私はあくまで全世界で高い評価が確定している名作を見たいんです！」という人もいるかもしれない。でも、考えてもみてほしい。ミロのヴィーナスやゴッホや、あのフェルメールの絵画でさえ、傑作と太鼓判を押されるのに、いったいどれほどの時間を経てきているのか。そう考えると、都現美に展示されている作品の多くは、いまは傑作未満ともいえる。ただし、作品の価値というのは、自然に発生するものではない。誰かがそれを見出して言葉にしないかぎり、生まれてこないものなのである。そして、都現美の作品は、その誰かが発する言葉を待っている可能性の山とも考えられる。そして、ここでは、あなた自身が作品を語る言葉の紡(つむ)ぎ手となることだってできるのだ。

開館20周年記念MOTコレクション特別企画「クロニクル1995―」展、二〇一四年六月七日～八月三十一日、東京都現代美術館。

東京都現代美術館は、二〇一六年五月三十日から大規模な改修工事のために休館。二〇一九年三月二十九日にリニューアル・オープンした。リニューアル・オープン展は、企画展「百年の編み手たち――流動する日本の近代美術」と、コレクション展「MOTコレクション第1期 ただいま／はじめまして」。

ユニークな視点で見せる広島市現代美術館

高橋瑞木

キュレーターの視点が光るコレクション展

広島県といえば世界遺産の宮島（みやじま）、坂の街として知られる尾道（おのみち）、そして広島市内の平和記念公園といった観光地が目白押しだが、実は日本で初めて現代アート中心のコレクションをうたった公立美術館がある。広島駅から路面電車で十五分弱、比治山（ひじやま）という小高い丘にある黒川紀章（くろかわきしょう）設計の広島市現代美術館がそれだ。この美術館は、アンディ・ウォーホルや草間彌生など、そうそうたる作家の作品を所蔵している。一九八九年の開館から二十五年目の今年（二〇一四年）は、そのコレクションを活かした展覧会が開催されていた。

日本の公立美術館の建設ラッシュは、バブル末期の一九八〇年代後半から一九九〇年代前半。バブル経済が弾けたあとは予算が大幅に削られ、また箱モノ行政の負の遺産として世間の冷たい目にさらされがちだが、その分学芸員の雑草魂が育(はぐく)まれ、最近はコレクションをユニークな視点と創意工夫で見せる美術館が注目を浴びていて、広島市現代美術館もそのひとつといえる。設立以降に収蔵された、世界的に知られるアーティストの名品の数々をさまざまな切り口で展示している。二〇〇七年には「マネー・トーク」という、作品の購入価格を開陳し、なおかつその価格順に展示する、という挑発的な企画を開催していた。美術館というと、どうしても特別展だけに注目が行きがちだが、ぜひコレクションも見てほしい。特別展よりもチケットも安いし、思いもかけない名作に出会える確率も高い。

　今回の広島現美のコレクション展のテーマは「○△□――美術のなかの幾何学的想像力――」。単純だと鼻で笑うなかれ。この単純な幾何学的形態を現代アーティストたちがどのように扱っているのか、テーマが単純なだけに、はずさない話、いや、はずさない展示の覚悟がなければ設定できない、実はオソロしい刺客テーマといえよう。今回、この刺客テーマの展示を企画したのは学芸担当課長（当時）の神谷幸江(かみやゆきえ)さん。現在はニューヨークでジャパン・ソサエティのギャラリー・ディレクターを務める国際派だ。

そこは美術のために用意された空間

ギャラリーに入る前から、展示はすでに始まっていた。青木野枝（あおきのえ）さんによる鉄の彫刻作品《晴玉1》が私たちをお迎えしてくれている。青木さんは鉄というヘビーな素材を使っているにもかかわらず、あぶくのような柔らかで、重力を感じさせない彫刻をつくることで知られる作家だ。最近は屋外や、美術館ではない空間でも力強さと繊細さを共存させる大型の作品を展示し、注目を浴びている。青木さんの作品に導かれ、ギャラリーに足を踏み入れると、リチャード・ロング、フランク・ステラ、田中敦子（たなかあつこ）、遠藤利克（えんどうとしかつ）といった一流のアーティストの良作が並んでいる。作品は一アーティストにつき一点ずつ。「えー、そんなに少ないの」というなかれ。どれも高い天井、広い床、美術を展示するための箱でしか決して見ることがかなわないスケールの大きい作品だ。しかも、作品がお互いの個性や魅力を殺し合わず、ギャラリーが緊張感のある空間になっている。それを見て、

「うーん、作品の配置がうまいですねえ」

と、うなる原田さん。

そう、ホワイトキューブと呼ばれる白い壁に四方を囲まれ、無駄を排した「ザ・美術作品の

広島市現代美術館
「コレクション展 2014-Ⅰ　○△□―美術のなかの幾何学的想像力―」(2014年)　展示風景
Photo: Kazuhiro Uchida

ための空間」では、作品の配置がアーティストや学芸員の腕の見せどころなのである。作品の額を床から何センチのところに掛けるか、作品と作品の間隔はどれぐらいとるか、作品同士の色調がお互いの良さをきちんと引き出しているか、キャプション（作品のタイトルや作者の名前が書いてある札）をどこに掲示するか、あるいはしないかなど、優れた展示には繊細な注意が払われているのである。展覧会は作品をただ並べただけでは展覧会にならない。どの作品の横にどの作品が来るのか、そのことによって作品がアーティストのスタジオにあったときと、どのように異なる文脈を紡ぎ出すのか、そこを引き出すのがキュレーターの腕の見せどころなのだ。

「この大きな壁に小さな作品がぽつりと掛けられ

ているところがなんともニクいですね〜」

と原田さん。

確かにリチャード・ロング、フランク・ステラ、田中敦子の大型作品がドーン、ドーンと
「これでもか！」と歌舞伎役者のように見得を切って並んでいる向かいの壁に、クルト・シュヴィッタースの小品がさりげなく飾られてある。これが文章における句点のように、空間全体の空気を引き締めている。山椒（さんしょう）は小粒でもピリリと辛（から）い、というやつだ。

原田さんは作品の前で担当編集者の南部（なんぶ）さんに早速質問を投げかけている。かなりスパルタだ。

「この作品のアーティスト名、わかる？」

「えーっと、作品は画集の中で見た覚えがあるんですが……。ちょっとアーティストの名前は出てきません……」

と、うつむく南部さん。

「これはフランク・ステラのペインティング。ステラは自分の描いた抽象的なモチーフの形に合わせてキャンバスの形を変えたの。いまではそんなこと当たり前と思うかもしれないけど、絵画は四角のキャンバスの中にイメージを描くもの、と皆が思い込んでいた時代に、イメージ

に合わせてキャンバスの形を変えるという逆転の発想は、絵画を決まり事からひとつ解放した、という点で当時画期的だったの」

さすが、現物を前にした原田さんの解説は説得力が違う。これまで何度もいってきたように作品、とりわけ絵画作品は画像が画集やネットでも簡単に見られる昨今だが、本物の存在感は圧倒的に異なる。大きさはもちろんだが、どんなにデジタル画像の解像度が高くなっても、絵画の絵の具の発色や筆あとのように、現物を自分の目で見てみなければ伝わってこない情報はたくさんある。ステラの作品にしても、オレンジやピンクといったネオンカラーの鮮やかさとキャンバスの白が織りなすコントラストは、決して印刷物では伝わってこないだろう。

広島という土地だからこそ生まれた

コレクションは地下のギャラリーにも続いていた。階段を降りて私たちが目にしたのは、これまでにない斬新な絵画の展示だった。それは、古今東西のアーティストによる絵画作品の地平線、水平線を壁一直線につなげるという、大胆かつ圧巻なものだった。長い壁に十五点以上の絵画が地平線、水平線で数珠つなぎになっている先には、三歳のときに原爆投下直後の広島市内で被爆し、被爆に起因するガンで五十歳の若さで亡くなったアーティスト、殿敷侃（とのしきただし）の作品《HYDROGEN BOMB》があった。

風景画にあって当たり前、でもさして普段は意識しない地平線、水平線というモチーフに鑑賞者の注目を促しつつ、それを時間の直線となぞらえ、最後に原爆のキノコ雲を描いた作品を配置する。そうすることで、展示の内容が、戦争によって人為的に地平線が露にさせられた広島の土地に帰着する。絵画のモチーフから、美術館がある土地の歴史へと鑑賞者の意識を向かわせる見事な展示構成だった。

広島市現代美術館がどうして現代美術を主眼とする美術館として設立されたのか、それは、戦争によって一九四五年以前に制作された広島の美術作品の多くが焼失してしまったからだ、と神谷さんが教えてくれた。だから、新しい美術館を設立するにあたって、戦後の美術作品から収蔵するのは必然だった。この美術館や収蔵された作品に課せられた宿命を感じながら、それでもなお陶酔を覚えさせる作品の力やそれを引き出すキュレーターの妙技を満喫し、私たちは比治山を後にしたのだった。


「コレクション展2014-I　○△□—美術のなかの幾何学的想像力—」、二〇一四年三月十五日～六月八日、広島市現代美術館。

画家のこだわりが光る丸亀市猪熊弦一郎現代美術館

原田マハ

アーティストの名前を冠した美術館

香川県が、自ら「うどん県」であると名乗りを上げたのは、さて、いつのことだっただろうか。

あまりのインパクトの強さに、香川イコールうどんのイメージが、香川をよく知る人にもあまり知らない人にも、すっかり焼きついてしまった。

しかし、実は香川の名物は、うどんばかりではない。うどんに勝るとも劣らない名物、それがアートなのである。

瀬戸内海に浮かぶ島々を舞台にしたアートイベント「瀬戸内国際芸術祭」を主催する実行委

員会の会長は香川県知事だし、高松（たかまつ）市美術館や、牟礼（むれ）のイサム・ノグチのアトリエなど、見るべきアートスポットがけっこうある。現代アートファンにとっては、もはや巡礼スポットになっているアートアイランド、直島も香川県だ。

そして、香川県丸亀市には、私が愛してやまない画家の名前を冠した、とてつもなくすばらしい美術館がある。その名を、丸亀市猪熊弦一郎現代美術館という。

猪熊弦一郎といえば、昭和を代表する洋画家。一九〇二年、香川県高松市に生まれ、旧制丸亀中学校（現・県立丸亀高等学校）に通った。東京美術学校（現・東京藝術大学）中退後、画家となり、パリに遊学、アンリ・マティスに学ぶ。その後、ニューヨークに約二十年間暮らし、独特の作品を発表し続けた。

七十二歳のとき、ニューヨークを引き払い、帰国。その後、丸亀市に自作千点を寄贈し、さらに、九十歳で没するまでに、所蔵する全作品を同市に寄贈した。

寄贈された作品には、初期の写実的な肖像作品（一九二〇年代）、マティスの影響が色濃いパリ時代（三〇年代）、抽象化が進むアメリカ時代（五〇〜七〇年代）、色彩も形もいっそう奔放になる円熟時代（八〇〜九〇年代）と、すべての時代にわたっており、常設展のテーマも豊富で、訪れるたびにその時代〳〵の猪熊像を探ることができる。

猪熊弦一郎といえば、猫のパレードを夢見る女性像《バレリーナの夢想》（一九五〇年）、にぎやかな顔がずらりと並んだ《Faces 80》（一九八九年）、鳥たちのはばたきが聞こえてきそうな《顔20》（一九八九年）など、とにかく楽しく、にぎやかで、絶妙なバランスの構図、そして豊かな色彩で知られる。「私は、美とはひっきょうバランスだと思う。……いい絵は、どんなに乱暴な描き方にみえてもちゃんとした秩序がある」と、画家自身が述べているように、猪熊作品にはすぐれたバランスと清々しい秩序がある。その秩序が、観るものに安心感と心地よさを与えるのだと思う。

猪熊さん（「猪熊先生」とか「猪熊氏」とかではなく、親しみを込めて「猪熊さん」と呼びたい）から膨大な作品を譲り受けた丸亀市は、彼の生前に美術館を建設することを決定した。ゆえに、猪熊弦一郎現代美術館は、アーティストの意向を十分に活かした美術館になっているのだという。

日本各地に個人の名前を冠した美術館が多々存在するが、アーティストの生前に開設されたものはそう多くはない。猪熊さんの美術館は、アーティストにとっても美術館にとっても、ラッキーだったと思う。芸術家本人の考えや思いが反映されているなんて、すばらしいに決まっているじゃないか。

そして、とても興味深いことに、猪熊さんは、自分の名前とともに「現代」のひと言が美術館に添えられることを望んだのだという。

新たに造られる美術館は、若いアーティストのために開放されるべきである。常設展のみならず、企画展示室を造り、そこでは現代美術の展覧会を開催してほしい。美術館を開設するにあたって、猪熊さんは、そう強く望んだのだった。

昭和画壇をリードした偉大な先人、猪熊弦一郎の美術館が、かくも魅力的なのは、その隅々にまでアーティストのスピリットが活かされているからではないかと思う。

こだわりの建築は必見！

私が同館を初訪問したのは、いまから十五年ほどまえのことになるが、そのインパクトの強さたるや、「うどん県」の比ではなかった。

高松駅から予讃線快速で三十分、丸亀駅で下車する。改札を出ると、いきなりどかーんと美術館の姿が視界に飛び込んでくる。その唐突な登場に、初訪問の人ならば、思わず「うわっ」と叫んでしまうこと間違いない。例にもれず、私も叫んでしまった。

建築家は谷口吉生氏である。豊田市美術館や東京国立博物館法隆寺宝物館、ニューヨーク近代美術館新館など、すぐれた美術館建築を手掛けたことで名高い、世界的な建築家だ。谷口氏に設計を依頼したのは、これも猪熊さんの意思であった。猪熊さんは、若い頃の丹下健三を見出し、香川県知事に紹介、丹下が香川県庁舎の設計を手掛けるきっかけをつくった、というエピソードも残されている。香川県庁舎は、結果的に、丹下の出世作となった。若いクリエイターにチャンスを与えようという思いが、かなり早い段階から猪熊さんの中にあったに違いない。

猪熊弦一郎《Faces 80》(1989年)
丸亀市猪熊弦一郎現代美術館蔵

エントランスは駅の方角に向かって、どかーんと巨大な開口部があり、来館者を大きく大きく迎え入れてくれる。館内は、一見そっけないほどシンプルな空間で構成されているのだが、展示作品が最大限に魅力的に、際立って見えるように、細やかな工夫が凝らされている。天井の高さ、空間のボリューム、手すりの色、どれひとつとってみても、空間と展示作品との関係性に建築家がこだわり抜いた結果、作品がより輝いて見えるギャラリーに仕上がった。

企画展は毎回趣向が凝らされ、現代アーティストのユニークなインスタレーションのほか、ファッション展なども積極的に開催されている。たまたま地方を旅して、良質な展覧会に行き合ったときの喜びはひとしおだが、丸亀でもすぐれた現代アートの体験ができるというのは、新鮮な驚きである。企画展もすばらしいのだが、やはり秀逸なのは、猪熊さんが丸亀市にほぼまるごと寄贈したという「自分が持っている自作のすべて」である。

初期の作品から、パリ時代、ニューヨーク時代、東京時代と、それぞれの時代の代表作が、この美術館には収蔵されている。

私は、猪熊さんの絵が好きだ。問答無用に好きだ。私が猪熊さんの絵を好きなことについては、難しいこと、ややこしいことをいっさい語りたくない。

彼の絵を見つめているとき、私の目と心とは、ただただ、素直に喜んでいる。なぜだろう。猪熊さんの絵が、明るく、まっすぐで、素直で、私の心にすっと手を伸ばして、やわらかく撫(な)でてくれるからかもしれない。

彼の絵を見ていれば、何かいいことが起こりそうな気がしてくるから不思議だ。他の美術館で猪熊さんの作品を見ても、わくわくした感じを覚えるのはいつものことなのだが、この美術館にいるときに、ことさらその感覚は最大限に高まる。

特に好きなのは「顔」のシリーズだ。猪熊さんは、八〇年代の円熟期になってから、いっそう自由に、奔放に画面を創った。その代表作が「顔」である。〇に目鼻だけのシンプルな顔がずらりと並ぶ。けれど、どれひとつとして同じものはない。みんなちがって、みんないい。――という、金子みすゞの詩の一節がよぎる。猪熊さんの、あたたかな人間讃歌ともいうべき作品に向かい合えば、心が沸き立ってくる。

谷口氏が猪熊さんとの対話の果てに創り出したという空間。猪熊さんのために、という建築家のリスペクトがひしひしと伝わってくる。その空間に身をおいて、今度は私たちが、心ゆくまで猪熊さんと対話をする。この美術館は、そういう美術館なのだ。

猪熊さんはまた、小さなたわいないものを愛でた。彼が愛した日用品や雑貨、装飾品、人形、彼が手遊びで作った小さなオブジェもまた、この美術館のコレクションに収められている。常設展示室の壁に据えられた棚に並んだこれらの小さきものたちは、えもいわれぬほどチャーミングだ。

ひとつひとつ、見つめるほどに、ぶつぶつ、ひそひそ、つぶやき声が聞こえてくる気がする。それは猪熊さんの声であり、美術館の声であり、私たちの心のつぶやきでもある。

アート県、香川の一隅に、かくもすぐれた美術館がある。まっすぐに心を撫でてくれるアーティストのやさしい手がある。訪れるたびに、訪れる人を幸せにしてくれる美術館。
猪熊さんに会いに、香川へ、丸亀へ、また出かけよう。

日本から香港、そしてイタリアまで。
アートを追いかけるふたりが目撃したものとは。

第5のドア

アートの旅は続くよ、どこまでも

「どこでもドア」への旅

高橋瑞木

ホテルから美術館へ直行！

二十年来の友人である原田さんと私は、よく一緒に旅に出かける。イタリアはヴェニスで二年に一度開催される現代アートの国際展のヴェネチア・ビエンナーレや、美術館と見まがうほどの巨大スペースを抱えるトップギャラリーが揃うニューヨークのような大都市はもちろんのこと、赤塚不二夫展が開催されていた熱海の美術館に日帰りで訪れたこともあった。美術館や展覧会を訪れたあとにご当地グルメに舌鼓を打ち、作品や展示について、ああでもない、こうでもないとおしゃべりをするのは至福の時間だ。

日本とパリを拠点に仕事をする原田さんと、香港在住の私は、目当ての展覧会や芸術祭の予定に合わせて旅先を決め、忙しい時間をやりくりして現地で落ち合うこともしばしばだ。ホテルにチェックインすると、まずは美術館に直行する。ときには事前にアポイントを入れてアーティストのスタジオを見学したり、訪問先のキュレーターを訪ねることもある。

沖縄では県立美術館でコレクション展示を満喫したあと、カーステレオから流れる松田聖子ちゃんやユーミンの歌を大声で歌いながらレンタカーを交代で運転し、原田さんの小説『太陽の棘(とげ)』に出てくるニシムイ芸術村の跡地を訪れたあとは、沖縄出身の現代美術アーティスト、山城知佳子(やましろちかこ)さんと一緒にランチを食べながら新作について話を聞いた。ロンドンでは、原田さんの新作小説のリサーチに合わせてビアズリーが生前暮らした地域を散策し、その後はポートベローのヴィンテージマーケットに繰り出し、掘り出し物を探し、へとへとになったあとは美味しい紅茶で一息つく――いずれも忘れがたい思い出だ。

世界各地で訪れる展覧会や出会う作品たちは、私たちにとって未知の世界にアクセスするための「どこでもドア」だ。アート作品を通して何百年も昔のヨーロッパや、日本の学校教育やニュース番組が教えてくれることのない世界の歴史や社会問題の断片に触れることができるのも、好奇心旺盛な私たちにとって、アートの最大の魅力のひとつなのだ。

激動の香港
アートシーンも劇的変化

高橋瑞木

民間アートセンターのディレクターに

数々の美術館、展覧会を見に、そしてアーティストや作品と出会うために東西南北、旅してきたが、まさか自分が日本を飛び出してアートセンターの館長（ディレクター）になるとはついぞ予想していなかった……。

いや、館長ではなかった。この都市の言葉、広東語（カントン）では「總監」。そう、ひょんな弾（はず）みで私は二〇一六年に香港に移住し、CHAT（チャット）という元紡績（ぼうせき）工場の建物の中にオープンした民間のアートセンターの總監、つまりディレクターになったのだった。その後、役職名が変わり、現在はエグゼクティブディレクター兼チーフキュレーター（執行董事及首席策展人）である。

CHATは2019年3月に開館。古い紡績工場をリノベーションした
© CHAT（Centre for Heritage, Arts and Textile）

長い間イギリスの植民地だったこともあり、香港の公用語は広東語と英語。CHATの広東語の名称は「六廠紡織文化藝術館」、英語の正式名称は「Centre for Heritage, Arts and Textile」。日本語に無理やり訳すなら、「テキスタイル産業遺産アートセンター」とでもなるだろうか。

CHATが入居している建物は一九六〇年代から二〇〇八年まで稼働していたコットンの紡織工場だった。今ではもっぱらアジアの国際金融都市として知られている香港だが、第二次世界大戦後から一九八〇年代までは、テキスタイル、プラスティック、おもちゃの製造業が香港経済の基盤を築き上げた。けれど、香港は東京の半分ぐらいの土地しかなく、工場用地も限られていたので、お隣の中国が経済と産業の「改革解放」[注1]路線を打ち出した頃から香港のテキスタイルや衣料産業は、より安い工場用地や人件費を求めて中国や東南アジアに移転してしまい、一九九〇年には斜陽を迎える。

こうした歴史的背景を踏まえながら、CHATは香港およびアジア周辺諸国のテキスタイルや衣料産業の歴史、リサイクル、労働環境問題といった産業にまつわる課題を現代アートやデザインの視点から考えてみるという、画期的なアイデアを持つアートセンターとして二〇一九年の三月に開館した。

CHATがあるのは、香港でもかなりディープでローカルな場所、荃灣（チュンワン）。このあたりはかつての工業地帯で、今でも香港の一般的な家族がたくさん住んでいる庶民的な場所。そして何よりも自慢できるのは、日本の観光ガイドには掲載されないような美味しい食堂やレストランがたくさん！　市場で新鮮なエビや魚貝を買って、レストランに持ち込めば、香港の中心街とは比べものにならないようなお手軽価格で美味しいご飯が食べられたり、ミシュランのグルメガイドにも掲載されている絶景の飲茶（ヤムチャ）レストランや、香港名物のダチョウのローストのお店があったりする。

そんなローカルな場所に突如としてオープンしたアートセンター。スタッフはインターナショナルな香港らしく、日本人の私に加え、シンガポール人、コロンビア人、中国人、香港人の混合チーム。総勢三十人弱のチームの中で女性のスタッフが八割を占めている。

CHATには、香港のテキスタイル産業の歴史を伝える常設展示室のほか、年に三回開催される大型企画展のための展示室、アーティストや来館者が布を使って作品や小物を製作できるCHATラボ、ゴーグルをつけると六十年前の香港にタイムスリップし、香港のテキスタイル産業の成り立ちや、ありし日の南豊テキスタイルの工場内部を探索することができるVRマシン、そしてアジア各国のコンテンポラリーデザイナーによるテキスタイルグッズを販売するミユージアムショップを備えている。

マイナスからの出発

ここで、現代美術のキュレーターのはずの私がなぜ香港のテキスタイル産業にまつわるアートセンターに転職を？　と思った読者もおられるかもしれない。その疑問も、ごもっとも。私も異動前は、自分がまさか香港のテキスタイル産業についての展示を企画しなくてはならないなどと、まったく考えていなかったのだ。というのも、私をこのプロジェクトに誘致した香港人からは当初、「学際的な現代美術館を設立するためのシニアキュレーターとして着任してほしい」と言われていたからだ。しかし、着任して直後に開催された、このアートセンターの資金源である企業の上層部との会議の場の雰囲気で、広東語がわからない私でも悟ったのだ。彼らが期待しているのは決して学際的な現代美術館ではなく、香港のテキスタイル産業の歴史を紹介するミュージアムだと。

そのときの私の青ざめた顔を想像してほしい。冗談のようだが、仕事の内容について、私は半ば騙されたようなかたちで香港に来てしまったのだ。しかし、引っ越してしまったからにはもうあとには引けぬ。とはいえ、肝心の香港でもテキスタイル産業史について出版された書籍

香港のテキスタイル産業の歴史を紹介する常設展示。この常設展示室のデザインを手掛けたのは、ターナー賞を受賞したイギリスのアート集団、アセンブル
© CHAT（Centre for Heritage, Arts and Textile）

は少なく、近著は中国語のみ。当時勤めていた香港人のキュレーター志望のスタッフにリサーチをお願いしても、「香港のテキスタイル産業？　興味ないしー」というつれない態度。そして私が着任する前に集められたというコレクションは、紡績の過程の製品テストで使われる壊れた機械類と、紡績工場の古い写真など、まともな展覧会を作るにはとても数も少なく、頼りないアイテムばかり。ゼロどころかマイナスからの出発――。

ここで私の心の拠(よ)りどころになったのは、東京の森美術館の開設準備室で原田さんと汗水（と涙）を流しながら働いた日々の記憶だった。

当時の森美術館の開設準備室には、原田さん、私とあと二人、しかも全員美術館の勤務経験が皆無(かいむ)に等しいという、いま思うと恐ろしいほどの素人の集まりだった。不動産開発のプロのおじさま方に混じって、東京にできる新しい美術館はどんなものがいいか、どんなアーティストの展覧会を開催したらよいかなどと、日々、青写真を描く私たちはかなり浮いた存在だったが、パッションと夢が気力と体力を支え、毎日睡眠時間を削(けず)りながら打ち合わせのための資料や書類の作成に勤(いそ)しんだものだった。そのときの、「成せばなる、成さねばならぬ、何ごとも」スピリッツを思い出しながら、なんとか開館にこぎつけたのが二〇一九年の三月。

製造から創造へ

香港のテキスタイル産業の歴史を伝える常設展示室は、イギリスで最も権威ある現代アートのプライズ、ターナー賞を受賞した建築家とデザイナーのコレクティブ（集団、集合体）[注2]、アセンブルにデザインを依頼した。というのも、グループの中に香港からイギリスに移民した両親をもつメンバーがおり、彼にとってもこのプロジェクトが家族のルーツを辿る良いきっかけになるのではないかと考えたからだ。

「製造（プロダクション）から創造（クリエイション）へ」をキーワードに、展示室は工場の面影を残しつつ、来場者が糸紡ぎや裁縫などを気軽に楽しめるワークショップテーブルが空間の中央に配置され、その周囲に紡績関連の機械やメイド・イン・香港のヴィンテージのコットン製品、キッチュなデザインの糸のレーベルなどが配置されている。

展示室の横にはCHATラボというワークショップがあり、そこではかつてプロの仕立屋として腕をならした夫婦がアーティストの新作をサポートしたり、来場者がアジア各国のさまざまな刺繡やソーイングの技法を体験できるワークショップが開催されたりしている。

そして開館記念の特別展には、アジアとオーストラリアから十七組のアーティストを招聘した。近年、中国、韓国、フィリピンやインドネシアからは続々と実力のあるアーティストが登場しているし、CHATはアジアのハブ、香港にできたアートセンターなので、地の利を活かして積極的に彼らの作品を紹介していきたいと考えている。

参加作家たちの多くはこの開館展のために新作をつくってくれた。CHATの裏テーマのひとつは、テキスタイルや衣料産業の本当の主役たち――労働者にスポットを当てることだ。通常は工場の創業者に話題が集中してしまうが、実際に工場を稼働させていたのは、多くの無名の労働者たちである。CHATでは、テキスタイルや衣料産業に限らず、どこにでも存在する無名の労働者たちの物語に光を当てていきたいと思っている。

CHAT 開館展にて
左：原田マハ、右：高橋瑞木

この裏テーマに共感してくれた参加作家たちは、中国からの安価なテキスタイルの輸入によって存続が脅かされている、フィリピンのある地方の伝統的なテキスタイル産業について、ヴィンテージのテキスタイルを使ったコラージュだったり、オーストラリア国営の炭鉱労働者

CHATのオープニングレセプション。布に木版画を転写するマレーシアのアーティストグループ、パンクロックスラップと来館者
© CHAT (Centre for Heritage, Arts and Textile)

たちが着用していたユニフォームを再利用したパッチワークだったり、第二次世界大戦後に中国本土から香港に違法移民として上陸し、紡績工場で働いていた女性の思い出話を元にしたビデオ・インスタレーションなど、さまざまな形式の作品を発表してくれた。開館展に労働問題というテーマはなかなか渋い、と思う方もおられるかもしれないが、どの作品もテキスタイルという素材が備えている色や風合いを生かしており、重いテーマと作品の華やかさが同居する、複雑な美しさをたたえた展覧会になった。

原田さんも、連載を抱える忙しい身でありながらレセプションに駆けつけてくれた。これまでも原田さんは私が企画する展示をほぼ全部見てくれているのだが、「高橋瑞木のキュレーションの最高傑作」と、最大級の賞賛をくれた。

抗議デモと若者たち

開館して間もない夏、CHATにいきなり大きなチャレンジのときが訪れた。それは、若者を中心に展開された逃亡犯条例の改正に反対する大規模なデモである。一九九七年に香港が英国統治下から中国に返還されて以降、香港社会は急激な変化を遂げている。返還時に中国政府から提案された「一国二制度」という、香港の行政機構や金融、教育制度は返還以前の香港の制度を尊重するという約束は、ほぼ有名無実であり、香港の人々は自分たちの代表である行政長官を選挙で選ぶこともできない。また、世界一ともいわれる不動産の高さによって、若者たちが親元から独立したり、クリエイターたちが気軽にスタジオを借りたりすることができない。

二〇一四年には雨傘革命[注3]という社会運動が起こったが、それも不発に終わった。二〇一九年に始まったデモは、香港政府が市民の意志を無視し続け、警察が不当に市民を逮捕したり、暴力を振るったりしたために、参加市民がどんどん増え続け、ゼネラルストライキが起こったり、果てにはマフィアが若い抗議者たちを襲ったり、抗議者と警察の間で激しい抗争が繰り広げられたりと、激化するに至った。

香港の公共交通機関の柱である地下鉄が運休するような事態も発生し、スタッフも出勤できず、予定していたイベントやワークショップを中止しなくてはならないことも何度かあった。もちろん、CHATに勤める若い香港人のスタッフの多くも抗議者としてデモに参加していた。しかし、仕事の大事なときには必ず出勤し、予定してあるイベントや作業に滞(とどこお)りがないように気を配っていた。暴力や破壊行為には賛成できないが、大きな権力に安易に屈したり、ニヒリズムに陥ったりせず、政治に対する怒りや市民の声を粘り強く届けようとする香港の若者たちの姿には、正直頭が下がる。

元警察本部だったコロニアル建築をリノベーション、再活用した文化複合センター、大館（タイクゥン）が開館したり、二〇一九年の冬には古美術から現代美術まで、香港の美術作品を幅広く紹介する香港アートミュージアムもリニューアルオープンを迎えた。そして数年後にはアジアで最大規模の現代美術館、M＋（エムプラス）も開館を控えており、香港のアートシーンはこの数年で劇的に変化を迎えるのではないかと期待している。

そして忘れてはならない、香港はグルメの街！　そう、美食とアートという黄金のマッチングはこの街のためにある！　親日家の多い香港、日本の皆さん、香港にお越しの際はグルメだけでなく、ぜひアートも満喫してほしい。もちろんＣＨＡＴ訪問を旅程に入れるのをお忘れなく。

注1　中国では一九七八年から、鄧小平を中心に市場経済への移行が進められた。人民公社の解体などによる「改革」、海外資本の導入を図る「解放」を指す。

注2　アセンブル（Assemble）は二〇一〇年に設立された、十五人の若手建築家とデザイナーから成る集団。二〇一五年にターナー賞を受賞。日本では東京・表参道のEYE OF GYREで「アセンブル―共同体の幻想と未来」が開催された（二〇一六年十二月九日～一七年二月十二日）。

注3　雨傘革命とは、香港で二〇一四年九月二十八日に始まった民主化要求デモ。七十九日間続いた。デモを排除する警察の催涙スプレーにデモ参加者が雨傘で対抗した。

興味津々、この時代を生きてゆけ！
ヴェネチア・ビエンナーレ2019

原田マハ

英語＋イタリア語

ヴェニスに通い続けてもう何年になるだろうか。

二年に一度、西暦の奇数年、夏がそろそろ近づいてくる頃、「そういえば今年はヴェネチア・ビエンナーレがあるなあ」とふいに思い出す。

美術の仕事に就いていた頃は、奇数年になれば年初からそわそわしたものだ。「今年のヴェニスのヴェルニサージュ（オープニング）は六月〇〇日からの三日間、その後にバーゼル・アートフェアがあるから、そこのスケジュールは空けておかねば」と、年間スケジュールがほとんど何も決まっていなくても、ヴェニスに行くことだけはすでに決められていた。

森美術館準備室を辞職し、フリーランスのキュレーター、ライターになってからもそれは変わらず、「いまや私はアート&カルチャー専門のライターである。ゆえに、ますますもってビエンナーレには行かねばならない！」と、むしろ鼻息を荒くしていた。そして、どうにかしてプレスパス（メディア関係者用フリーパス）を獲得しようと躍起になった。このプレスパスを発行してもらうのが至難の業かと思いきや、現地に行ってプレスセンターに行って申請用紙に自分が所属する（または取材を依頼された）媒体名を記入すれば、細かくチェックされることもなく、わりとすぐ発行されて拍子抜けだったことも、いまではよき思い出である。

と、ここまで読まれた読者諸氏は、「そんなにまでして絶対行きたいヴェネチア・ビエンナーレとはいったいなんだ？」と思われたかもしれない。

そうなのである。ヴェニスといえば、言わずと知れた水の都、世界遺産の古都、ヴェネチアン・グラス、映画祭、カーニヴァル、シーフードが超絶美味しい……などなど、読者諸氏にはそれぞれにイメージをお持ちのことだろう。が、しかし、美術業界に身を置く人々にとって、またアートを愛する人々にとって、なんといってもヴェニスは「アート」の街。二年に一度、世界最大の現代アートの祭典、ヴェネチア・ビエンナーレが開かれる街なのだ。

日本のアート関係者とこの祭典について話題が出ると、必ずと言っていいほど「ヴェネチア・ビエンナーレ」または「ヴェニス・ビエンナーレ」と呼ばれていることに気づく。イタリア語呼称（正しくは『ビエンナーレ・ディ・ヴェネチア』）、または英語（ヴェニス）＋イタリア語（ビエンナーレ）なのである。いまや世界の共通言語になりつつある英語で言うならば「ヴェニス・バイアニュアル（二年に一度、の意）」となるわけで、もちろん英語圏の人々はそのように言っている。が、なぜか日本では「ビエンナーレ」と、そこのところは正しくイタリア語で呼ぶのが慣習のようになっている。私もアート界に身を置いていたときに、なんの違和感もなく「ビエンナーレ」と言っていたが、いったいなぜだろうか。

近年では、この「ビエンナーレ」が自立して「堂島リバービエンナーレ」「中之条ビエンナーレ」「世界文化遺産　姫路城　現代美術ビエンナーレ」「東京ビエンナーレ（二〇二〇年に第一回開催予定）」などなど、あっちもこっちも「土地（名勝）」＋「ビエンナーレ」＝「どこそこで二年に一度現代アートの祭典をやってます」という、一種の現代アート用語的に活用されている。さらには、三年に一度という意味の「トリエンナーレ」というイタリア語の言葉も盛んに使われるようなった。「あいちトリエンナーレ」「ヨコハマトリエンナーレ」「大地の芸術祭　越後妻有アートトリエンナーレ」などなど。確かにこれらのイベント名は、開催地と開催周期、さらには「アート」の一語が入っていなくても「現代アートの祭典」であるのが自明という、発信側も受信側も非常にわかりやすい地域イベントのタイトルになっているのである。

ビエンナーレの歴史と日本

日本のアート関係者やアートファンにもはや根付いた感のあるビエンナーレであるが、こうなったのにはそれなりの理由があるはずだ。

まず、ヴェネチア・ビエンナーレには、最先端の現代アートを紹介するイベントとして意外なほど長い歴史がある。

そもそもは一八九三年、ヴェネチア議会が時の国王夫妻の銀婚式を記念して美術展を開催することを決定したことに始まる。国際展のかたちを成したのがその二年後の一八九五年、「第一回ヴェネチア市国際芸術祭」である。以後、二年に一度、国際展として発展し続けた。つまりすでに百二十五年もの歴史があるのだ。

会場となっているジャルディーニ公園内に各国が恒久設置のパヴィリオンをつくり、自国の現存アーティストの展示を行うというシステムも、かなり初期の段階で始まった。これは十九世紀後半にパリを中心として先進国の都市で盛んに開催されてきた万国博覧会方式に則(のっと)っている。最初にパヴィリオンを造成したのは開催国イタリアを初め、アメリカ、フランス、ドイツ、ロシアなど、当時のいわゆる列強国。日本は他国のパヴィリオンに間借りする形で第二回（一八九七年）に工芸品などを出品したらしい。が、自国内にすら美術館を持っていなかった日本は、まだまだ文化政策が欧米諸国に追いついておらず、自国のアーティストを世界に押し出していくなどという発想はなかったのだろう。日本がようやく自国パヴィリオンを建設したのは戦後になってから、一九五六年のことである。それでもアジア諸国の中ではいち早くビエンナーレに進出したほうなのだ。現代アートが西洋諸国だけのものでなく、彼らが「オリエント」と位置付けていたアジア諸国のものでもあると世界の人々が知るようになるまで、それから三十年近く待たなければならなかった。

というわけで、日本とヴェネチア・ビエンナーレの付き合いはそれなりに長く、それなりに深い。ゆえに、それなりに早い段階で、日本に「ビエンナーレ」という言葉が持ち込まれ、それは「現代アートの祭典」という意味を伴った言葉として定着した。そのわりに、なかなか日本で現代アートが市民権を得られなかったのは不思議といえば不思議だ。なぜか。

私はバブル時代の終わりに商社でアートコンサルティングをしていたのだが、その頃「箱モノ行政」の一環として日本各地に続々と美術館が開設されるのを目の当たりにした。「我が地域にも美術館を」というハード重視の考えが先行して、現代アートが人を呼べる地域イベントになるというソフト重視の考え方が追いついていなかったように思う。それが世紀をまたぐ頃に、地域イベントとしてビエンナーレ、トリエンナーレが開催されるようになり、いまや日本は「ビエンナーレ大国」と呼んでもいいような状況になった。変われば変わるものである。

二十七年前の衝撃

そうして、私が元祖ビエンナーレのヴェニスに通うようになってかれこれ二十七年が経つ。初めてヴェネチア・ビエンナーレを訪問したときの情景がいまも鮮やかに蘇る。一九九三年のことだ。ひと言で表現すると「衝撃」。いろんな意味で衝撃であった。何しろ初めてのヴェニス。島内には車が走っておらず、移動は基本的に「バポレット」と呼ばれる乗合船。十五世紀の建物がそのまま土産物屋に使われている。それだけでも十分衝撃的だったが、ジャルディーニ公園に居並んだ各国のパヴィリオンに展示されている作品の数々が何と言っても衝撃だった。作品のクオリティの高さもさることながら、こんなにいっぺんに現代アートの展覧会が同時開催されているという状況に、私はすっかり有頂天になった。

その頃の日本では、セゾン美術館など一部の先駆的な美術館を除いて、現代アートの大型展が開催されるのは稀だった。私は商社に勤務するかたわら、現代アートをプロモートするアートプロデュースグループを友人女子三人で私的につくったりして、なんとかかんとか日本で現代アートの市民権を獲得したいと、誰に頼まれたわけじゃなく勝手に応援していた。だから、ヴェニスで現代アートが世界を牽引（けんいん）している現実を知って、ひとりで興奮した。そして気持ちを新たにした。日本でもいずれ現代アートがもっと認められる日が来る。その日のために、もっともっと現代アートを応援していこう！　そして、「この現状を日本の人々に伝えねばならぬ」と、すべての作品をカメラで撮影しようと試みた。スマホなんて夢のようなデバイスは影も形もなかったから、この日のために買った一眼レフカメラとスライド用フィルムで撮影した。いちおう出張の名目で来ていたので、すべて会社の経費で成し遂げたことを告白しておく。ちなみに、高橋瑞木さんと（ヴェニスではなく東京で）出会ったのもこの頃である。

　あの年からずっとヴェニスに通い続けている。去年（二〇一九年）も、高橋さんとともに出かけていった。いつの頃からか、奇数年は「この夏、ヴェニスで」がふたりの間の合言葉のようになっているから、ビエンナーレイヤーには彼女とヴェニスで落ち合うことも多い。

　毎回、総合ディレクターが選出され、そのディレクターによってビエンナーレ全体のテーマが決められる。各国パヴィリオンはそれぞれ自国のキュレーターがアーティストと作品を選び、展示する。個展の場合もグループ展の場合もある。そして、すべての展示の中からアーティスト部門、国別参加部門に「金獅子賞」がビエンナーレ財団より贈られる。

昨年の総合ディレクター、ラルフ・ルゴフが掲げたテーマは「May You Live in Interesting Times」である。抽象的なタイトルだが、直訳すれば「興味深い時代を生きられますように」。マハ的超訳では「興味津々、この時代を生きてゆけ」……といったところだろうか。

アートは社会の映し鏡

最近のビエンナーレで特徴的なのは、昔から参加している「アート先進国」パヴィリオンの展示よりも、後発隊のアジア、アフリカ、中東からの参加組に注目が集まることだ。それはすなわち、それらの地域がグローバルに台頭し、力を発揮している現実とピタリと一致する。いつの世も、現代アートは現実社会の映し鏡なのである。

アートの表現の多様化も極まっている。今年の国別参加部門の金獅子賞はリトアニアに贈られた。パヴィリオン内の一階に作られた映画のセットのようなビーチで、人々が憩いながら歌うオペラ的パフォーマンス（パフォーマーはプロの歌手）を、二階の吹き抜けからのぞき見るという、観客を巻き込んだ大掛かりな展示である。「これをアートと呼ぶの？」などという疑問は、ヴェニスでは誰も持たない。そう、コミッショナーもアーティストも観客も、参加者全員

「ヴェネチア・ビエンナーレ2019　第58回国際美術展」(2019年5月11日～11月24日)で国別参加部門の金獅子賞(グランプリ)を受賞したリトアニア館の作品《Sun & Sea (Marina)》
© Kyodo News

がアートの表現の多様性を受容し、楽しんでいるのだから。

ひとつずつパヴィリオンを訪ねるのも楽しみだが、「アルセナーレ」と呼ばれる元造船所だった巨大な煉瓦造りの要塞のごとき建物で開催される国際グループ展が最大の見どころだ。しかし私にとって最大の楽しみは、高橋さんと一緒にビエンナーレを見て回ること。私たちはぴったりくっついて歩きながら感想を述べたりはせず、それぞれのペースで好きなように見て回る。最後に出口で待ち合わせして、すぐに感想を述べ合うこともあれば、ぐっと溜めておいて食事の時に総観し、意見を交わすこともある。そしてプロセッコで乾杯し、美味しい地元の料理を堪能し、夜が更けるまでアートの話をする。人生相談もする、うれしい話も、ときにはほろ苦い話もある。

また今年もヴェニスに来られてよかった。この世界にアートがあってよかった。そうとは口に出さないが、高橋さんと私は、同じ思いを共有している。

アートざんまいで元気をチャージして、私たちはそれぞれの日常へ帰っていく。高橋さんはエグゼクティブディレクターとして活躍するＣＨＡＴのある香港へ。私は書斎のあるパリへ。そしてまた近々、世界のどこかの都市で落ち合うことになる。ビエンナーレがヴェニスにある限り、またこの世界にアートがある限り、これからも私たちは一緒にアートを追いかけ、ともに歩き続けるだろう。

あとがき

高橋瑞木

本書のための取材や執筆作業の間、アート作品とは結局なんなのだろう、と私もずっと考えていました。原田さんは「ドア」にたとえました。私はアート作品は、それが制作された時代や場所へアクセスするための「窓」であり、また、作者を映す「鏡」であると考えます。これはどの時代、場所で制作された作品についても当てはまることです。ですから、端的にいってしまえば、その作品が制作された時代や場所、作者について（経歴や、どういった先人の作品に影響を受けているか、作品の素材に何を使ってきたかなど）がわかると、大まかな内容はつかめます。しかし、それで作品の内容を全部理解することはできません。なぜなら、アートの中でもとりわけ現代アートは、見る人への問いかけを含んでいるからです。

多くの現代アート作品は、あなたに「美しさ」や「価値」「この作品の存在する意味」を一緒に考えてほしい、というメッセージが形になったものと考えることもできるでしょう。つまり、「どうして自分はこの作品を美しいと思えないんだろう」「どうしてこの作品の価値を認められないんだろう」と腑に落ちない場合が多いのも、ある意味もっともなのです。現代アートは、作品を見て考えたり、語る人がいないと完成しない、あなたの関与を最も必要としている芸術ジャンルでもあるのです。

「美」や「価値」「存在の意味」――すべて大きな問題で、考えるのがおっくうかもしれません。でも、日常生活の中で、自分の容姿について悩んだり、家族や友人、組織の中での自分の存在価値について考えたりしたことはありませんか？　日常生活の中で思い悩んでいることが、考え方をひとつ変えるだけで、解消されることがあります。現代アートは、凝り固まった考え方をほぐし、違った視点からの物事の見方を、ときにやさしく、ときに遠回しに教えてくれます。

原田さんも私も、ついさっき見てきた作品の感想から始まり、いつのまにかお互いの人生や悩みへと話が移っていることがよくありました。それは、作品のうちの何かが自分の考えや、いいたくてもいえなかったことを代弁していたからではないかと思います。アート作品は私と原田さんの間に確実に存在する、もうひとりの無言の友人だったのです。

読者の皆さんが、本書をきっかけに美術館やギャラリー、アートプロジェクトに足を運び、ひとりでも新しい友を人生に迎えてくれれば幸いです。嫌みで皮肉屋、気取ったところもたくさんありますが、憎めない人生の相棒になることを約束します。

また、本書のきっかけをつくり、現代アートの旅に同乗してくださった祥伝社の担当編集者の南部香織（なんぶかおり）さん、原田さんと私の弾丸トークをまとめてくださった阿部謙一（あべけんいち）さん、そして快（こころよ）く取材を引き受けてくださった美術館やアートプロジェクトの関係者の皆様に、心よりお礼を申し上げます。

そして原田さん。これまで原田さんとアートを巡る旅を続けられたこと。そして、その年月の蓄積を本書にまとめられたことを、何よりも喜ばしく思っています。

掲載作品

List of Images

【026頁】

パブロ・ピカソ《アヴィニョンの娘たち》(1907年)

油彩、キャンバス

243.9 × 233.7cm

ニューヨーク近代美術館蔵

写真提供：ユニフォトプレス

【027頁】

マルセル・デュシャン《泉》(1917/1964年)

レディメイド(小便器)

36 × 48 × 61cm

写真提供：ユニフォトプレス

【034頁】

エドゥアール・マネ《草上の昼食》(1862〜1863年)

油彩、キャンバス

208 × 265.5cm

写真提供：ユニフォトプレス

【058頁】

奈良美智《回天》(2001年)

アクリル絵具、FRPにマウントした綿布

直径55 × 9.5cm

【074頁】

デミアン・ハースト《母と子、分断されて》(1993年)

ガラス、着色した鉄、シリコン、アクリル、単繊維、ステンレス、雌牛、子牛、ホルムアルデヒド溶液

雌牛：各190 × 322.5 × 109cm (2点)、子牛：各102.9 × 168.9 × 62.5cm (2点)

Photo: Prudence Cuming Associates Ltd.

Damien Hirst, *Mother and Child (Divided)*, 1993

Glass, painted steel, silicone, acrylic, monofilament, stainless steel, cow, calf and formaldehyde solution

Two parts, each (cow): 1900 × 3225 × 1090 mm, Two parts, each (calf): 1029 × 1689 × 625 mm

Photo: Prudence Cuming Associates Ltd.

【087 頁】

アンディ・ウォーホル《100 個の缶》(1962 年)

カゼイン、スプレーペイント、鉛筆、綿布

フレームサイズ：198.4 × 149.2 × 11.1cm

Andy Warhol, *100 Cans*, 1962

Casein, spray paint and pencil on cotton

Framed with plexi cap: 198.4 × 149.2 × 11.1 cm

【095 頁】

エルネスト・ネト《(リヴァイアサン・トト―指より)リキッド・フィンガー・タッチ》(2008 年)

ポリアミド、チュール、綿布、布製マットレス

1900 × 1200 × 1500cm

Ernesto Neto, *(Leviathan Thot - Finger) Liquid Finger Touch*, 2008

Polyamide, tulle, cotton, fabric mattress

1900 × 1200 × 1500 cm

東京都現代美術館「ネオ・トロピカリア：ブラジルの創造力」展（2008 年） 展示風景 撮影：森田兼次

【103 頁】

宮島達男《MEGA DEATH》(1999 年)

LED、集積回路、電線、センサー、ほか

第 48 回ヴェネチア・ビエンナーレ（1999 年）日本館の展示風景 撮影：安齊重男

協力：国際交流基金、SCAI THE BATHHOUSE

【115 頁】

ウィリアム・ケントリッジ《忍耐、肥満、そして老いていくこと》(スチル) (1991 年)

木炭とパステルの素描によるアニメ映像

16 ミリフィルムをビデオ変換（8 分 22 秒）

William Kentridge, *Sobriety, Obesity & Growing Old* [still], 1991

Animated film using charcoal and pastel drawings

16 mm film transferred to video (8 min. 22 sec.)

【123 頁】

オラファー・エリアソン《ウェザー・プロジェクト》(2003 年)

単周波ライト、映写ホイル、噴霧機、鏡面ホイル、アルミ、建築足場

2670 × 2230 × 15544cm

Olafur Eliasson, *The weather project*, 2003

Monofrequency lights, projection foil, haze machines, mirror foil, aluminium, scaffolding

2670 × 2230 × 15544 cm

テート・モダンでの展示風景（2003 年） Photo: Andrew Dunkley & Marcus Leith

Installation view: Tate Modern, London, 2003 Photo: Andrew Dunkley & Marcus Leith

【131 頁】

ハンス・ハーケ《ゲルマニア》(1993 年)

木材、壁、木製の 8 文字、1990 年に鋳造されたドイツ 1 マルク硬貨のプラスチックの模造品、
1934 年の写真、1000 ワットの投光照明

Hans Haacke, *GERMANIA*, 1993

Wood, wall, 8 wood letters, plastic reproduction of German 1 Mark coin, minted 1990,
photograph of 1934, 1,000W floodlight

第 45 回ヴェネチア・ビエンナーレ(1993 年)ドイツ館での展示風景　Photo: Roman Mensing

Installation view at the German Pavilion, 45th Venice Biennale, Italy, 1993

Photo: Roman Mensing

Courtesy of the artist and Paula Cooper Gallery, New York

【139 頁】

高嶺格《敗訴の部屋》(2012 年)

水戸芸術館現代美術ギャラリー「高嶺格のクールジャパン」展(2012 ~ 2013 年)　展示風景　撮影:細川葉子
写真提供:水戸芸術館現代美術センター

【151 頁】

シンディ・シャーマン《アンタイトルド・フィルム・スティル #10》(1978 年)

ゼラチン・シルバー・プリント

20.3 × 25.4cm

Cindy Sherman, *Untitled Film Still #10*, 1978

Gelatin silver print

20.3 × 25.4 cm

　Courtesy of the artist and Metro Pictures, New York

【159 頁】

内藤礼《タマ/アニマ(わたしに息を吹きかけてください)》(部分)(2013 年)

広島県立美術館「〈アート・アーチ・ひろしま 2013〉ピース・ミーツ・アート!」展　展示風景　撮影:畠山直哉

Courtesy of Taka Ishii Gallery

【167 頁】

ビル・ヴィオラ《ミレニアムの 5 天使》(部分)(2001 年)

ビデオ・サウンド・インスタレーション(5 チャンネル・カラービデオ、ステレオサウンド)

投影サイズ:240 × 320cm(各)、展示室サイズ:370 × 1525 × 1830cm　連続投影

Bill Viola, *Five Angels for the Millennium* [detail], 2001

Video/sound installation (Five channels of color video projection on walls in large,
dark room; stereo sound for each projection)

Projected image size: 240 × 320cm (each), Room dimensions: 370 × 1525 × 1830 cm

Continuously running

Photo: Kira Perov

【175 頁】

フェリックス・ゴンザレス＝トレス《「無題」(偽薬)》(1991 年)

銀紙で包んだキャンディ（際限なく供給）

インスタレーションサイズ可変（理想重量：1000 ～ 1200lb）

Felix Gonzalez-Torres, *"Untitled" (Placebo)*, 1991

Candies in silver wrappers, endless supply

Overall dimensions vary with installation (Ideal weight: 1,000–1,200 lb.)

フェリックス・ゴンザレス＝トレス《「無題」(血液検査の 31 日間)》(1991 年)

アクリル、ジェッソ、石墨、写真、紙、キャンバス

インスタレーションサイズ可変（各 20 × 16in（31 点））

Felix Gonzalez-Torres, *"Untitled" (31 Days of Bloodworks)*, 1991

Acrylic, gesso, graphite, photographs, and paper on canvas

Overall dimensions vary with installation (Thirty-one parts: 20 × 16 inches each)

フェリックス・ゴンザレス＝トレス《「無題」(ラヴァーボーイ)》(1989 年)

透き通る青い布、吊り具

インスタレーションサイズ可変

Felix Gonzalez-Torres, *"Untitled" (Loverboy)*, 1989

Sheer blue fabric and hanging device

Dimensions vary with installation

サーペンタインギャラリー（ロンドン）での個展風景（2000 年） Photo: Stephen White

Installation view: Felix Gonzalez-Torres. Serpentine Gallery, London, England, United Kingdom. 1 Jun. – 16 Jul. 2000. Cur. Lisa G. Corrin. Catalogue. [With satellite venues: Camden Arts Centre, Chelsea and Westminster Hospital, Royal College of Art, Victoria and Albert Museum, and Royal Geographical Society, London, England, United Kingdom.]

Photo: Stephen White

【183 頁】

大竹伸朗《網膜屋／記憶濾過小屋》(2014 年)

ファウンド・オブジェクト、写真、FRP、アクリル板、電気機器、iPod、フォグ・マシーン、蛍光灯、布、壁紙、紙、紙テープ、畳、仏具、造花、油彩、アクリル絵具、ウレタン塗料、染料、木材、鉄

550 ～ 650（可変）× 375 × 575cm ／約 4500kg

ヨコハマトリエンナーレ 2014（2014 年）の展示風景　撮影：岡野圭

【191 頁】

ヨーゼフ・ボイス作品、小松原コレクションによる展示

水戸芸術館現代美術ギャラリー「Beuys in Japan　ボイスがいた 8 日間」展（2009 ～ 10 年）展示風景

撮影：松蔭浩之　写真提供：水戸芸術館現代美術センター

【199 頁】

ベルント&ヒラ・ベッヒャー《給水塔》(1980年)

ゼラチン・シルバー・プリント(9点)

155.6 × 125.1cm

Becher, Bernd (1931-2007) and Becher, Hilla (1934-2015), *Water Towers*, 1980

Nine gelatin silver prints

Approximately 61 1/4 × 49 1/4 inches (155.6 × 125.1 cm) overall

ソロモン・R・グッゲンハイム美術館蔵

New York, Solomon R. Guggenheim Museum. Purchased with funds contributed by Mr. and Mrs. Donald Jonas, 1981

【207 頁】

Chim↑Pom《LEVEL 7 feat.『明日の神話』》(2011年)

ビデオ(6分35秒)、塩化ビニール板、紙、アクリル絵具、ほか

200 × 84cm

Courtesy of the artist and MUJIN-TO Production

【251 頁】

猪熊弦一郎《Faces 80》(1989年)

アクリル、キャンバス

194 × 194cm

丸亀市猪熊弦一郎現代美術館蔵

本書は単行本『すべてのドアは、入り口である。』（2014年12月刊）を大幅に加筆、修正し、新書版として新たに再編集したものです。刊行にあたり、章立て（本文構成）と掲載作品の一部を改めました。

（編集部）

〈取材協力〉

東京国立近代美術館

東京都現代美術館

広島市現代美術館

丸亀市猪熊弦一郎現代美術館

（五十音順）

〈編集協力〉

阿部謙一

切りとり線

★読者のみなさまにお願い

この本をお読みになって、どんな感想をお持ちでしょうか。祥伝社のホームページから書評をお送りいただけたら、ありがたく存じます。今後の企画の参考にさせていただきます。また、次ページの原稿用紙を切り取り、左記まで郵送していただいても結構です。

お寄せいただいた書評は、ご了解のうえ新聞・雑誌などを通じて紹介させていただくこともあります。採用の場合は、特製図書カードを差しあげます。

なお、ご記入いただいたお名前、ご住所、ご連絡先等は、書評紹介の事前了解、謝礼のお届け以外の目的で利用することはありません。また、それらの情報を6カ月を越えて保管することもありません。

〒101-8701（お手紙は郵便番号だけで届きます）
祥伝社　新書編集部
電話03（3265）2310
祥伝社ブックレビュー　www.shodensha.co.jp/bookreview

★本書の購買動機（媒体名、あるいは○をつけてください）

＿＿＿＿新聞の広告を見て	＿＿＿＿誌の広告を見て	＿＿＿＿の書評を見て	＿＿＿＿の Web を見て	書店で見かけて	知人のすすめで

★100字書評……現代アートをたのしむ

名前

住所

年齢

職業

原田マハ　はらだ・まは

関西学院大学文学部日本文学科、早稲田大学第二文学部美術史科卒業。馬里邑美術館、伊藤忠商事、森ビル森美術館設立準備室勤務、フリーのキュレーターなどを経て、2005年に『カフーを待ちわびて』で第1回日本ラブストーリー大賞受賞、小説家デビュー。2012年、『楽園のカンヴァス』で第25回山本周五郎賞を受賞。2017年『リーチ先生』で第36回新田次郎文学賞受賞。

高橋瑞木　たかはし・みずき

早稲田大学大学院美術史専攻修了後、ロンドン大学東洋アフリカ学院MA修了。森美術館設立準備室勤務を経て、水戸芸術館現代美術センター主任学芸員。現在は香港のCHAT（Centre for Heritage, Arts and Textile）でエグゼクティブディレクター兼を務める。

現代（げんだい）アートをたのしむ
——人生（じんせい）を豊（ゆた）かに変（か）える5つの扉（ドア）

原田（はらだ）マハ　高橋瑞木（たかはしみずき）

2020年5月10日　初版第1刷発行

発行者……………辻 浩明
発行所……………祥伝社（しょうでんしゃ）
〒101-8701　東京都千代田区神田神保町3-3
電話　03(3265)2081(販売部)
電話　03(3265)2310(編集部)
電話　03(3265)3622(業務部)
ホームページ　www.shodensha.co.jp

装丁者……………盛川和洋
印刷所……………萩原印刷
製本所……………ナショナル製本

造本には十分注意しておりますが、万一、落丁、乱丁などの不良品がありましたら、「業務部」あてにお送りください。送料小社負担にてお取り替えいたします。ただし、古書店で購入されたものについてはお取り替え出来ません。

Printed in Japan　ISBN978-4-396-11599-9　C0270